James Casebere
Asylum

Xunta de Galicia
Consellería de Cultura, Comunicación Social e Turismo

XUNTA DE GALICIA

Presidente da Xunta de Galicia
MANUEL FRAGA IRIBARNE

Conselleiro de Cultura, Comunicación Social e Turismo
XESÚS PÉREZ VARELA

Director Xeral de Patrimonio Cultural
ÁNGEL SICART GIMÉNEZ

CENTRO GALEGO DE ARTE CONTEMPORÁNEA

Director
MIGUEL FERNÁNDEZ-CID

Xerente
MANUEL ARROYO

Conservadora Xefe
CECILIA PEREIRA MARIMÓN

Xefe do Servicio Pedagóxico
MANUEL OLVEIRA

PADROADO DO CGAC

Presidente
JOSÉ LUIS MÉNDEZ LÓPEZ

Vicepresidente
JOSÉ MANUEL GARCÍA IGLESIAS

Secretario
MANUEL ARROYO

Vocais
CARMELA ARIAS Y DÍAZ DE RÁBAGO
VICENTE ARIAS MOSQUERA
Mª VICTORIA CARBALLO-CALERO RAMOS
CARLOS CASARES MOURIÑO
THAIS DE PICAZA DE MALVAR
ISAAC DÍAZ PARDO
JULIO FERNÁNDEZ GAYOSO
MIGUEL FERNÁNDEZ-CID
ROSINA GÓMEZ-BAEZA
ANDRÉS GONZÁLEZ MURGA
TOMÀS LLORENS SERRA
HOMERO PÉREZ QUINTANA
CARLOS ROSÓN GASALLA
JOSÉ Mª SÁNCHEZ GONZÁLEZ
ÁNGEL SICART GIMÉNEZ
JOSÉ-MIGUEL ULLÁN
JOSÉ CARLOS VALLE PÉREZ
MARIO VÁZQUEZ RAÑA
DARÍO VILLANUEVA PRIETO

EXPOSICIÓN

Comisarios
MICHAEL TARANTINO
DONNA LYNAS

Coordinación
CECILIA PEREIRA MARIMÓN

Montaxe
CARLOS FERNÁNDEZ
EQUIPO TÉCNICO DO CGAC

Transporte
MOMART, Lmtd

Seguros
BLACKWELL GREEN

PUBLICACIÓN

Deseño gráfico
MARTÍN CARAMÉS

Traducción do inglés
JOSEPHINE WATSON

Traducción ó galego
INTERLINGUA TRADUCCIÓNS
CARMEN NOGUEIRA

Fotomecánica
LUCAM

Impresión
CA GRÁFICA

ISBN
84-453-2465-9

DL
VG-405-1999

Agradecementos
Ós seus asistentes JOE McKAY, MARA HASELTINE e
KELLEY BUSH
Lisson Gallery, Londres: NICHOLAS LOGSDAIL,
PILAR CORRIAS, ELLY KETSEA
Sean Kelly Gallery, Nova York: SEAN KELLY,
CÉCILE PANZIERI, LILLI-MARI ANDERSEN,
MICHAEL BLODGETT
Bernier/Eliades Gallery, Atenas
Tanit Gallery, Múnic WALTER MOLLIER e NAILA KUNIGK
SALVATORE GALLIANI
SANDRA DODSON
Laumont Newman Photographics: PHILIPPE LAUMONT,
DEBRA VILEN, ESTEBAN MAUCHI, WILLIE VERA,
NINFA MARCELINO, BEN PALAEZ, STUART WARD
E especialmente a Lorna e Zora.

James Casebere
Asylum

12 maio • 25 xullo 1999

James Casebere fainos partícipes do seu persoal mundo nesta mostra que ofrece o Centro Galego de Arte Contemporánea en colaboración co Museum of Modern Art de Oxford. As súas fotografías evocan escenarios cotiáns, marcos que nos resultan familiares, malia que quedan lonxe de nos provocaren esa sensación acolledora propia dun ambiente íntimo. Escenarios que, tratados de maneira illada, inerte ou misteriosa, transforman pictoricamente a cotianeidade dende o momento no que reconstrúen, dende a arquitectura, unha realidade próxima. Casebere reedifícaa minuciosamente, peza a peza, construíndo maquetas no seu estudio. Un mundo utópico, propio, que nos transmite inmortalizado nas súas fotografías.

As súas peculiares pezas, non exentas dun dramatismo derivado dos lugares marxinais que retrata, prodúcennos paralelamente unha sensación lúdica, pola ficción que encobre esa realidade construída. Porque Casebere incítanos a participar no seu xogo ó ofrecernos espacios deshabitados que dominamos coa vista pero nos que debemos integrarnos.

Manuel Fraga Iribarne
Presidente da Xunta de Galicia

James Casebere nos hace partícipes de su personal mundo en esta muestra, que ofrece el Centro Galego de Arte Contemporánea en colaboración con el Museum of Modern Art de Oxford. Sus fotografías evocan escenarios cotidianos, marcos que nos resultan familiares, aunque distan de provocarnos esa sensación acogedora propia de un ambiente íntimo. Escenarios que, tratados de forma aislada, inerte o misteriosa, transforman pictóricamente la cotidianeidad desde el momento en que reconstruyen, desde la arquitectura, una realidad cercana. Casebere la reedifica minuciosamente, pieza a pieza, construyendo maquetas en su estudio. Un mundo utópico, propio, que nos transmite inmortalizado en sus fotografías.

Sus peculiares piezas, no exentas de un dramatismo derivado de los lugares marginales que retrata, nos producen paralelamente una sensación lúdica, por la ficción que encubre esa realidad construida. Porque Casebere nos incita a participar en su juego, ofreciéndonos espacios deshabitados que dominamos con la vista pero en los que debemos integrarnos.

Manuel Fraga Iribarne
Presidente de la Xunta de Galicia

Máis de dúas décadas dedicou James Casebere a construír maquetas, a deseñar mundos ficticios que adquiren un punto de realidade nas súas fotografías. Casebere é un arquitecto do fuxidío, un visionario que edifica en cartón-pedra e que consegue transportarnos ó seu misterioso mundo, ó sermos nosoutros -os espectadores- a única presencia humana que habita os seus recreados ambientes.

As imaxes que compoñen esta mostra translocen sinais "do que foi", pola aparencia de ruínas abandonadas que posúen as súas arquitecturas. Unha visión romántica, severa, que pode chegar a producir unha sensación de illamento ou atemporalidade. Reflicten as súas obras ese misticismo do que se apropian as imaxes cando se combina aparencia e realidade, matiz dual co que se enchoupan os seus teatrais escenarios. Casebere adquire carácter de constructor, interpretando a tridimensionalidade arquitectónica, inherente ás súas maquetas, de maneira pictórica.

Xesús Pérez Varela
Conselleiro de Cultura,
Comunicación Social e Turismo

Más de dos décadas ha dedicado James Casebere a construir maquetas, a diseñar mundos ficticios que adquieren un punto de realidad en sus fotografías. Casebere es un arquitecto de lo fugaz, un visionario que edifica en cartón-piedra y que consigue transportarnos a su misterioso mundo, al ser nosotros -los espectadores- la única presencia humana que habita sus recreados ambientes.

Las imágenes que componen esta muestra traslucen vestigios de "lo que fue", por la apariencia de ruinas abandonadas que poseen sus arquitecturas. Una visión romántica, severa, que puede llegar a producir una sensación de aislamiento o atemporalidad. Reflejan sus obras ese misticismo del que se apropian las imágenes cuando se combina apariencia y realidad, matiz dual con el que se impregnan sus teatrales escenarios. Casebere adquiere carácter de constructor, interpretando la tridimensionalidad arquitectónica, inherente a sus maquetas, de forma pictórica.

Xesús Pérez Varela
Conselleiro de Cultura,
Comunicación Social e Turismo

Obras coma as de James Casebere lémbrannos que a arte ten tanto poder evocador como capacidade para provocar misterio. En aparencia, Casebere realiza fotografías de espacios arquitectónicos baleiros, definidos polo tenso contraste entre unha materia de calidez pictórica e unha luz que a marca e atravesa, pero o espectador advirte que existe un xogo de matices e medidas, unha escenografía mínima pero coidada, precisa. Intúese que algo acontece, que as liñas, planos e volumes que definen os espacios arquitectónicos teñen un toque manual, entre táctil e pictórico. Cando o espectador se decata de que Casebere fotografa maquetas que previamente realiza, entende a orixe da súa inquedanza: ve limpas fotografías de gran formato que representan arquitecturas, e esa representación fáiselle crible ó ollo pola escala da imaxe. Un xogo sutil e irónico establécese nos sucesivos cambios de escala que practica Casebere, primeiro reducíndoa na maqueta e ampliándoa posteriormente na obra final. Esa disposición, esa maneira de modifica-lo ángulo de visión e percepción, mesmo o protagonismo e a actitude do observador, ou a ambigüidade coa que combina elementos cálidos e aparentemente fríos outórganlle un carácter persoal e inquietante ó traballo de Casebere.

Para o Centro Galego de Arte Contemporánea e o Museum of Modern Art de Oxford, amosar por primeira vez a súa obra en España é unha maneira de chama-la atención sobre un traballo de indubidable calidade, froito dun atractivo debate mental, previo á execución material. Unha obra que, estamos convencidos, será das que permanezan no tempo por ter alcanzado o difícil equilibrio entre pensamento e acción, entre qué dicir e cómo. Supón, ademais, o inicio dunha atractiva colaboración entre ámbalas dúas institucións.

O noso agradecemento a Michael Tarantino e a Donna Lynas, comisarios da mostra, pola súa eficacia; ós responsables das galerías Lisson, de Londres, e Sean Kelly, de Nova York, pois sen a súa colaboración non sería posible realizar esta mostra; a Martín Caramés, deseñador deste catálogo; a Cecilia Pereira Marimón, responsable da mostra en Santiago de Compostela; e, moi especialmente, a James Casebere polo seu apoio ó proxecto.

Miguel Fernández-Cid
Director do CGAC

Kerry Brougher
Director do MOMA, Oxford

Obras como las de James Casebere nos recuerdan que el arte tiene tanto poder evocador como capacidad para provocar misterio. En apariencia, Casebere realiza fotografías de espacios arquitectónicos vacíos, definidos por el tenso contraste entre una materia de calidez pictórica y una luz que la marca y atraviesa, pero el espectador percibe que existe un juego de matices y medidas, una escenografía mínima pero cuidada, precisa. Se intuye que algo ocurre, que las líneas, planos y volúmenes que definen los espacios arquitectónicos tienen un toque manual, entre táctil y pictórico. Cuando el espectador se entera de que Casebere fotografía maquetas que previamente realiza, entiende el origen de su inquietud: ve limpias fotografías de gran formato representando arquitecturas y esa representación se hace creíble al ojo por la escala de la imagen. Un juego sutil e irónico se establece en los sucesivos cambios de escala que practica Casebere, reduciéndola primero en la maqueta y ampliándola posteriormente en la obra final. Esa disposición, esa manera de modificar el ángulo de visión y percepción, incluso el protagonismo y la actitud del observador, o la ambigüedad con la que combina elementos cálidos y aparentemente fríos otorgan un carácter personal e inquietante al trabajo de Casebere.

Para el Centro Galego de Arte Contemporánea y el Museum of Modern Art de Oxford, mostrar su obra por primera vez en España es un modo de llamar la atención sobre un trabajo de indudable calidad, fruto de un atractivo debate mental, previo a la ejecución material. Una obra que, estamos convencidos, será de las que permanezcan en el tiempo por haber alcanzado el difícil equilibrio entre pensamiento y acción, entre qué decir y cómo. Supone, además, el inicio de una atractiva colaboración entre ambas instituciones.

Nuestro agradecimiento a Michael Tarantino y Donna Lynas, comisarios de la muestra, por su eficacia; a los responsables de las galerías Lisson, de Londres, y Sean Kelly, de Nueva York, sin cuya colaboración no hubiese sido posible realizar esta muestra; a Martín Caramés, diseñador de este catálogo; a Cecilia Pereira Marimón, responsable de la muestra en Santiago de Compostela; y, muy especialmente, a James Casebere por su apoyo al proyecto.

Miguel Fernández-Cid
Director del CGAC

Kerry Brougher
Director del MOMA, Oxford

Casas embruxadas
Casas embrujadas
Michael Tarantino

I. Un espacio baleiro

Estaba sentado nun recuncho da habitación, eslombado contra a parede. A dor do seu brazo resultáballe insoportable, era tan intensa que prefería non mirar. Cando por fin se armou de valor, viu que lle sobresaía un óso do cóbado, asomando lixeiramente por debaixo da pel, un vulto branco manchado de sangue. Cada vez que se movía a dor era atroz, pois cada xesto desprazaba a precaria colocación do óso.

Lembrou que o torturaran. Os detalles eran algo confusos: os pesos estrelados contra o seu corpo, as descargas eléctricas, a cabeza somerxida en auga, a ruleta rusa finxida, as mentiras sobre a súa familia, etc. Por algún motivo, o único que podía lembrar era o feito de que o seu carcereiro comía un *sandwich* recheo de ensalada de ovo, xamón, salchicha, tomates, e sabe deus cántos ingredientes máis. Chamábao un "almorzo para todo o día". Acompañábao cun gran vaso de leite. Non facía máis que repetir: "¿A que non pensabas que aquí podían suceder este tipo de cousas?" E daquela iniciaba outro ataque de violencia.

Observou a habitación. Desde este ángulo semellaba bastante grande, polo menos para unha soa persoa. O que lle chamaba a atención era a súa extrema austeridade. Un banco percorría a parede do fondo, bastante baixo en relación co chan. De certo que tamén servía como cama. (Non lembraba telo usado). Unha ventá que daba ás celas dominaba o fondo. E iso era todo.

E sen embargo, canto máis contemplaba este espacio (seguro que pasaba o tempo contemplando porque lle doía tanto moverse), máis estraño lle resultaba. Non era tan sinxelo como parecía. Para empezar, ese banco, esa lousa (¿unha lousa mortuoria?) parecía estar estrañamente aliñada coas paredes da habitación, atravesando a esquina dun arco coma se fose un espacio plano. Ó mesmo tempo, esa ventá semellaba un chisco plana de máis para ser real. Se cadra era o reflexo doutra ventá. Pero nese caso, as liñas dos barrotes non terían unhas formas tan perfectas. E esa luz que se difundía polo chan, deténdose antes de chegar ó recuncho no que estaba deitado... ¿de onde procedía? A única fonte de luz era esa ventá (se é que era unha ventá), e esta era incapaz de ilumina-lo espacio desa forma. Confiaba en estar soñando, pero sabía que non era así.

I. Un espacio vacío

Estaba sentado en un rincón de la habitación, encorvado contra la pared. El dolor de su brazo le resultaba insoportable, era tan intenso que prefería no mirar. Cuando por fin se armó de valor, vio que sobresalía un hueso de su codo, asomando ligeramente por debajo de la piel, un bulto blanco manchado de sangre. Cada vez que se movía el dolor era atroz, pues cada gesto desplazaba la precaria colocación del hueso.

Recordaba haber sido torturado. Los detalles eran algo confusos: los pesos estrellados contra su cuerpo, las descargas eléctricas, la cabeza sumergida en agua, la ruleta rusa fingida, las mentiras sobre su familia, etc. Por algún motivo, lo único que podía recordar era el hecho de que su carcelero comía un *sandwich* relleno de ensalada de huevo, jamón, salchicha, tomates, y sabe dios cuántos ingredientes más. Lo llamaba un "desayuno para todo el día". Lo acompañaba con un gran vaso de leche. No hacía más que repetir: "¿A que no pensabas que aquí podían suceder ese tipo de cosas?" Y entonces empezaba otro ataque de violencia.

Observó la habitación. Desde este ángulo parecía bastante grande, por lo menos para una sola persona. Lo que le llamaba la atención era el hecho de ser increíblemente austera. Un banco recorría la pared del fondo, bastante bajo en relación al suelo. Seguramente también servía como cama. (No recordaba haberlo usado). Una ventana que daba a las celdas dominaba el fondo. Y eso era todo.

Y sin embargo, cuanto más contemplaba este espacio (probablemente se pasaba el rato contemplando porque le dolía tanto moverse), más extraño le resultaba. No era tan sencillo como parecía. Para empezar, ese banco, esa losa (¿una losa mortuoria?) parecía estar extrañamente alineada con las paredes de la habitación, atravesando la esquina de un arco como si fuese un espacio plano. Al mismo tiempo, esa ventana parecía un poco demasiado plana para ser real. Tal vez fuese el reflejo de otra ventana. Pero en ese caso, las líneas de los barrotes no tendrían unas formas tan perfectas. Y esa luz que se difundía por el suelo, deteniéndose antes de llegar al rincón en el que estaba tumbado... ¿de dónde procedía? La única fuente de luz era esa ventana (si es que era una ventana), y era incapaz de iluminar el espacio de esa forma. Confiaba en estar soñando, pero sabía que no era así.

Asylum, 1994
Asilo
Cibachrome
61 x 76 cm

II. Fotografando ficcións

En certa maneira, parece apropiado que James Casebere escriba ficción e cree fotografías de espacios interiores (principalmente), a partir de maquetas de mesa construídas no seu estudio. Tamén semella apropiado que a maior parte das fotografías recentes sexan de lugares de confinamento, é dicir, prisións, hospitais, asilos, etc. A ficción nunca parece estar directamente relacionada coas fotografías. En cambio, as fotos tamén son unha ficción, o resultado dun proceso de crear algo a partir da nada, de construír un espacio que confunde –á vez que se atén a– as regras da arquitectura e da perspectiva. De feito, estas obras desafían a nosa percepción (neste caso) do que podería ser unha prisión ou un asilo. É un lugar para o confinamento, para o control, para o castigo, para a categorización. Pero, ó mesmo tempo, é unha construcción mental, tanto coma física.

Un túnel cunha abertura nun lado. Unha serie de camas amoreadas, unhas enriba das outras. Unha morea de cadeiras. Un "ruedo" con distintas entradas e saídas arqueadas. Un vestíbulo asolagado. O que teñen en común todas estas imaxes é o feito de estaren desprovistas de xente. Aínda que non dunha presencia humana. En cada situación, temos un espacio baleiro, un espacio que, literalmente, parece desartellado. Pero tamén temos unhas narrativas implícitas, unhas accións implícitas que acaban de concluírse ou que están a punto de suceder. O interior mollado de *Flooded Hallway* (Vestíbulo asolagado) podería se-lo o escenario dunha película de serie negra. A morea de camas podería se-lo resultado dalgunha terrible praga. O túnel podería se-lo emprazamento dunha ruta de fuxida. E así sucesivamente. As fotografías de Casebere non lle impoñen unha narrativa ó espectador, senón que a suxiren. Do mesmo xeito que a cámara nas películas de Robert Bresson, que a miúdo permanece nun espacio, xusto antes ou xusto despois da entrada ou saída dalgún personaxe, estas son escenas do posible, nas que só queda a pegada dunha presencia humana.

II. Fotografiando ficciones

En cierta manera parece apropiado que James Casebere escriba ficción y cree fotografías de espacios interiores (principalmente), a partir de maquetas de mesa construidas en su estudio. También parece apropiado que la mayor parte de las fotografías recientes sean de lugares de confinamiento, es decir, prisiones, hospitales, asilos, etc. La ficción nunca parece estar directamente relacionada con las fotografías. En cambio, las fotos también son una ficción, el resultado de un proceso de crear algo a partir de la nada, de construir un espacio que confunde –a la vez que se atiene a– las reglas de la arquitectura y de la perspectiva. De hecho, estas obras desafían nuestra percepción (en este caso) de lo que podría ser una prisión o un asilo. Es un lugar para el confinamiento, para el control, para el castigo, para la categorización. Pero al mismo tiempo es una construcción mental, tanto como física.

Un túnel con una abertura en un lado. Una serie de camas apiladas, unas encima de otras. Una pila de sillas. Un ruedo con distintas entradas y salidas arqueadas. Un vestíbulo inundado.' Lo que tienen en común todas estas imágenes es el hecho de estar desprovistas de gente. Aunque no de una presencia humana. En cada situación, tenemos un espacio vacío, un espacio que, literalmente, parece deslavazado. Pero también tenemos unas narrativas implícitas, unas acciones implícitas que acaban de concluirse o que están a punto de suceder. El interior mojado de *Flooded Hallway* (Vestíbulo inundado) podría ser el escenario de una película de serie negra. La pila de camas podría ser el resultado de alguna terrible plaga. El túnel podría ser el emplazamiento de una ruta de huida. Y así sucesivamente. Las fotografías de Casebere no le imponen una narrativa al espectador, se la sugieren. Al igual que la cámara en las películas de Robert Bresson, que a menudo permanece en un espacio, justo antes o justo después, de la entrada o salida de algún personaje, éstas son escenas de lo posible, en las que sólo queda la huella de una presencia humana.

Flooded Hallway, 1998
Vestíbulo asolagado
Cibachrome
244 x 305 cm

III. Casas embruxadas

"A paradigmática casa embruxada de (Edgar Allan) Poe contiña tódolos signos que delatan o encantamento, sistematicamente entresacados dos seus predecesores románticos. O sitio era desolado; as paredes eran lisas e case literalmente 'anónimas', as súas ventás eran 'coma ollos' pero estaban desprovistas de vida -'baleiras'-. Era, ademais, un depósito de centurias de memoria e de tradición, encarnadas nos seus muros e obxectos; as paredes estaban marcadas pola 'decoloración de séculos' e por pedras derrubadas; o mobiliario era escuro, as habitacións abovedadas e lóbregas..."
Anthony Vidler: *The Architectural Uncanny*

Esta discusión de *The Fall of the House of Usher* (A caída da casa Usher) de Poe sitúase no contexto da noción freudiana do "inquietante" (*unheimlich*). O propio Freud referíase á traducción da palabra alemana como "casa embruxada". Vidler, nun capítulo titulado "Unhomely Houses", fala do enigma deses lugares que parecen exactamente o contrario de cómo os proxectamos: pouco acolledores, fríos, escuros e, a miúdo, deshabitados. A casa Usher ten vida propia, unha historia equiparable á de calquera dos personaxes do relato.

O mesmo pode dicirse das "casas" dun conxunto de lugares nos que as paredes son "lisas e case literalmente anónimas", "desoladas", "descoloridas"... "baleiras". Pero non están "desprovistas de vida": a "area" co seu foco de luz á esquerda, como querendo resaltar unha figura ausente; os "nove nichos" colocados a grande altura, orientados cara a outra pequena zona inferior de luz, posiblemente cun par de ollos detrás de cada recinto pechado; a "cela con entullos", coas súas paredes encaladas precipitadamente, e unha luz rectangular enriba que lle confire á parede do fondo a aparencia dunha botella: cada espacio parece ofrecer, á vez, máis e menos que a descrición facilitada polo seu título. Cada espacio é un fogar, un recinto cunha función que parece subir polas paredes.

III. Casas embrujadas

"La paradigmática casa embrujada de (Edgar Allan) Poe contenía todos los signos que delatan el encantamiento, sistemáticamente entresacados de sus predecesores románticos. El sitio era desolado; las paredes eran lisas y casi literalmente 'anónimas', sus ventanas eran 'como ojos' pero estaban desprovistas de vida -'vacías'-. Era, además, un depósito de centurias de memoria y de tradición, encarnadas en sus muros y objetos; las paredes estaban marcadas por la 'decoloración de siglos' y por piedras derrumbadas; el mobiliario era oscuro, las habitaciones abovedadas y lóbregas..."
Anthony Vidler: *The Architectural Uncanny*

Esta discusión de *The Fall of the House of Usher* (La caída de la casa Usher) de Poe se sitúa en el contexto de la noción freudiana de lo "inquietante" (*unheimlich*). El propio Freud se refería a la traducción de la palabra alemana como "casa embrujada". Vidler, en un capítulo titulado "Unhomely Houses", habla del enigma de esos lugares que parecen exactamente lo contrario de cómo los proyectamos: poco acogedores, fríos, oscuros y, a menudo, deshabitados. La casa Usher tiene vida propia, una historia equiparable a la de cualquiera de los personajes del relato.

Lo mismo puede decirse de las "casas" de Casebere, un conjunto de lugares en los que las paredes son "lisas y casi literalmente anónimas", "desoladas", "descoloridas"... "vacías". Pero no están "desprovistas de vida": la "arena" con su foco de luz a la izquierda, como queriendo resaltar una figura ausente; los "nueve nichos" colocados a gran altura, orientados hacia otra pequeña zona inferior de luz, posiblemente con un par de ojos detrás de cada recinto cerrado; la "celda con escombros", con sus paredes enlucidas precipitadamente, y una luz rectangular encima, que le confiere a la pared del fondo la apariencia de una botella: cada espacio parece ofrecer, a la vez, más y menos que la descripción facilitada por su título. Cada espacio es un hogar, un recinto cuya función parece subirse por las paredes.

Nine Alcoves, 1995
Nove nichos
Cibachrome
76 x 76 cm

IV. As palabras nin sequera empezan a suxerir...

Á primeira vista é evidente que isto é máis ca unha casa, debido simplemente ó número de ventás. Cónteas. No lado esquerdo hai trinta. Dúas delas, as de enriba, son máis grandes cás outras. Na fachada que temos en fronte, conto setenta e cinco. De novo, algunhas ventás son maiores ca outras. E na ringleira superior, de esquerda a dereita, alí onde debería estar a penúltima ventá, hai unha parede lisa. Esta omisión, así como a aparición, a intervalos, de ventás maiores, no que é case un conxunto matematicamente correcto, parécenos estraña (ou inquietante).

Prosigamos. As dimensións da casa, o número de ventás, suxiren que se trata dunha institución, dun edificio con propósito formal e codificado, no que se procesa a entrada e saída de gran número de persoas. E, malia estar envolta na escuridade -é de noite, atravésana unhas sombras, tódalas ventás están tapiadas- sorpréndenos o feito de que durante o día, unha vez abertas as ventás, unha enorme cantidade de luz chegue a penetrar nesta estructura. Polo tanto, é un lugar que suxire o seu contrario, un sitio desolado e ameazador que durante o día se transforma nun fervedoiro de actividade.

É unha prisión, claro, e chámase *Sing Sing*. O aramado detrás do edificio, a sombra do arame reflectida na parte anterior, son outros indicios. *Sing Sing...* estraño nome para unha prisión*. Expresión que pode gardar relación cos traballos forzados que teñen lugar dentro (cantar mentres se realiza algunha tarefa mundana), ou que se pode tomar coma comentario sarcástico sobre as pésimas condicións do interior, onde os condenados por cometer crimes violentos son retidos na "máxima seguridade". E seguramente esa luz que varre a parte anterior é a luz de vixilancia, alumeando sen cesar o edificio e o patio, atravesando constantemente os taboleiros das ventás para dirixir un fino raio ós ollos dos prisioneiros que intentan concilia-lo sono no interior, vixiados polo garda, manténdoo esperto mentres observa o espacio inferior baleiro...

Sing é, á vez, o infinitivo e o imperativo do verbo "cantar" en inglés.

IV. Las palabras ni siquiera empiezan a sugerir...

A primera vista es evidente que esto es más que una casa, debido simplemente al número de ventanas. Cuéntelas. En el lado izquierdo hay treinta. Dos de ellas, las de arriba, son más grandes que las otras. En la fachada que tenemos enfrente, cuento setenta y cinco. De nuevo, algunas ventanas son más grandes que otras. Y en la hilera superior, de izquierda a derecha, allí donde debería estar la penúltima ventana, hay una pared lisa. Esta omisión, así como la aparición, a intervalos, de ventanas más grandes, en lo que es casi un conjunto matemáticamente correcto, nos resulta extraña (o inquietante).

Prosigamos. Las dimensiones de la casa, el número de ventanas, sugieren que se trata de una institución, un edificio con un propósito formal y codificado, en el que se procesa la entrada y salida de gran número de personas. Y a pesar de estar envuelta en la oscuridad -es de noche, la atraviesan unas sombras, todas las ventanas están tapiadas- nos sorprende el hecho de que durante el día, una vez abiertas las ventanas, una enorme cantidad de luz llegue a penetrar en esta estructura. Por tanto, es un lugar que sugiere su contrario, un sitio desolado y amenazador que durante el día se transforma en un hervidero de actividad.

Es una prisión, claro, y se llama *Sing Sing*. La alambrada detrás del edificio, la sombra del alambre reflejada en la parte anterior, son otros indicios. *Sing Sing*... extraño nombre para una prisión*. Expresión que puede guardar relación con los trabajos forzados que tienen lugar dentro (cantar mientras se realiza alguna tarea mundana), o que se puede tomar como comentario sarcástico sobre las pésimas condiciones del interior, donde los condenados por haber cometido crímenes violentos son retenidos en la "máxima seguridad". Y seguramente esa luz que barre la parte anterior es la luz de vigilancia, iluminando sin cesar el edificio y el patio, atravesando constantemente los tableros de las ventanas para dirigir un fino rayo a los ojos de los prisioneros que intentan conciliar el sueño en el interior, vigilados por el guardia, manteniéndole despierto mientras observa el espacio inferior vacío...

---

*Sing es, a la vez, el infinitivo y el imperativo del verbo "cantar" en inglés.

Sing Sing, 1992
Cibachrome
122 x 157,5 cm

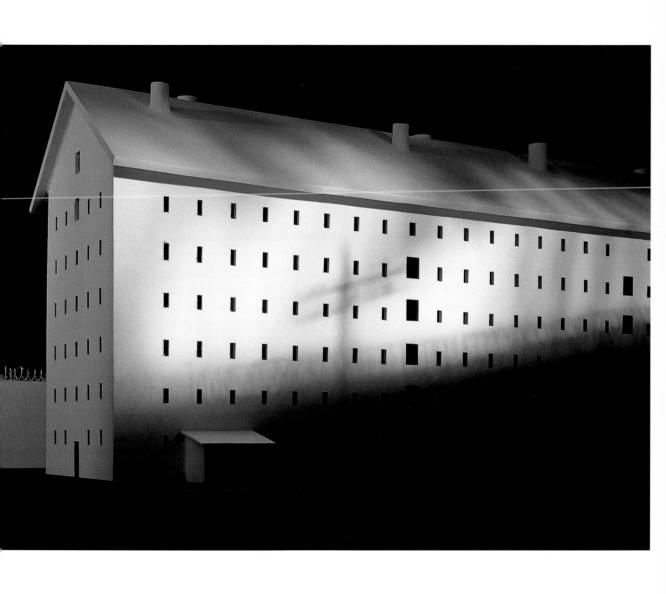

V. O gran misterio

"O gran misterio é o cambio. É o movemento dun instante ó seguinte, a relatividade da verdade, a ilusión dunha obsesión total. É a estraña lóxica da motivación humana, a inmersión nun ser cuns límites coma costras que hai que rañar; costras sensibles, dolorosas ó tacto, batidas, que empezan a cicatrizar lentamente."

James Casebere, en "Three Stories", extraído do catálogo *Model Culture*, publicado por The Friends of Photography, San Francisco.

Nas fotografías recentes de James Casebere, o mesmo proceso da visión entra en crise, no sentido de que ó espectador se lle pide constantemente que vaia máis aló da súa primeira impresión destas imaxes. En particular, hai dúas maneiras en que o artista nos fai cuestiona-la "validez" daquilo que vemos: ben variando a vista ou o ángulo entre fotografías de temas similares, ben xogando coa lectura que fai o espectador, ou a espectadora, dunha imaxe, baseándose na súa distancia respecto á peza.

Para empezar, temos obras como *Single Tunnel with Bright Hole* (Túnel individual con abertura luminosa) e *Single Tunnel with Dark Hole* (Túnel individual con abertura escura). Na primeira, observamos que a luz que emerxe da abertura da esquerda é desproporcionada respecto á luz que aparece ó extremo do túnel. A segunda obra corrobórao, dado que a única fonte de luz procede da entrada/saída invisible. Claro que o feito de ve-las dúas obras xuntas nos fai conscientes da diferencia que hai entre elas, conscientes da elección do artista ó construír estas imaxes.

Outras dúas obras emparelladas son, se cadra, máis directas na súa insistencia en que recoñezámo-lo proceso que determinou a imaxe final:

Two Tunnels from Left (Vertical) (Dous túneles desde a esquerda [vertical])
Two Tunnels from Right (Vertical) (Dous túneles desde a dereita [vertical])
Two Tunnels from Left (Horizontal) (Dous túneles desde a esquerda [horizontal])
Two Tunnels from Right (Horizontal) (Dous túneles desde a dereita [horizontal])

En cada caso, o modelo que serve de tema é o mesmo. Na primeira parella, as imaxes están encadradas verticalmente, na segunda horizontalmente. Outras diferencias, menos obvias, son evidentes. Todas se deben ó feito de que Casebere cambie tanto o ángulo da cámara coma a distancia. A nosa primeira impresión é ver estas imaxes como idénticas. A segunda é ver que hai unha fonte de luz ausente, outra visible nun dos túneles, etc. De novo, acentuámo-la diferencia, medímo-la nosa distancia desde as paredes, en fin, notamos cómo a nosa posición como espectador mudou. O coñecemento deste feito non só nos fai moito máis conscientes do "xogo" de Casebere (o espacio que parece real pero que, en realidade, é unha ficción), senón do noso lugar nel, é dicir, coma xogadores.

V. El gran misterio

"El gran misterio es el cambio. Es el movimiento de un instante al siguiente, la relatividad de la verdad, la ilusión de una obsesión total. Es la extraña lógica de la motivación humana, la inmersión en un ser cuyos límites parecen costras que hay que rascar; costras sensibles, dolorosas al tacto, golpeadas, que empiezan a cicatrizar lentamente."
James Casebere, en "Three Stories", extraído del catálogo *Model Culture*, publicado por The Friends of Photography, San Francisco.

En las fotografías recientes de James Casebere, el mismo proceso de la visión entra en crisis, en el sentido de que al espectador se le pide constantemente que vaya más allá de su primera impresión ante estas imágenes. En particular, hay dos maneras en que el artista nos hace cuestionar la "validez" de aquello que vemos: bien variando la vista o el ángulo entre fotografías de temas similares, bien jugando con la lectura que hace el espectador, o la espectadora, de una imagen, basándose en su distancia respecto a la pieza.

Para empezar, tenemos obras como *Single Tunnel with Bright Hole* (Túnel individual con abertura luminosa) y *Single Tunnel with Dark Hole* (Túnel individual con abertura oscura). En la primera, observamos que la luz que emerge de la abertura de la izquierda es desproporcionada respecto a la luz que aparece al extremo del túnel. La segunda obra lo corrobora, dado que la única fuente de luz procede de la entrada/salida invisible. Claro que el hecho de ver las dos obras juntas nos hace conscientes de la diferencia que hay entre ellas, consciente de la elección del artista al construir estas imágenes.

Otras dos obras emparejadas son incluso más directas en su insistencia en que reconozcamos el proceso que determinó la imagen final:

Two Tunnels from Left (Vertical) (Dos túneles desde la izquierda [vertical])
Two Tunnels from Right (Vertical) (Dos túneles desde la derecha [vertical])
Two Tunnels from Left (Horizontal) (Dos túneles desde la izquierda [horizontal])
Two Tunnels from Right (Horizontal) (Dos túneles desde la derecha [horizontal])

En cada caso, el modelo que sirve de tema es el mismo. En la primera pareja, las imágenes están encuadradas verticalmente, en la segunda horizontalmente. Otras diferencias, menos obvias, son evidentes. Todas se deben al hecho de que Casebere cambie tanto el ángulo de la cámara como la distancia. Nuestra primera impresión es ver estas imágenes como idénticas. La segunda es ver que hay una fuente de luz ausente, otra visible en uno de los túneles, etc. De nuevo, acentuamos la diferencia, medimos nuestra distancia desde las paredes, en fin, notamos cómo nuestra posición como espectador ha cambiado. El conocimiento de este hecho no sólo nos hace mucho más conscientes del "juego" de Casebere (el espacio que parece real pero que, en realidad, es una ficción), sino de nuestro lugar en él, es decir, como jugadores.

Single Tunnel (with Bright Hole), 1998
Túnel individual (con abertura luminosa)
Cibachrome
102 x 76 cm

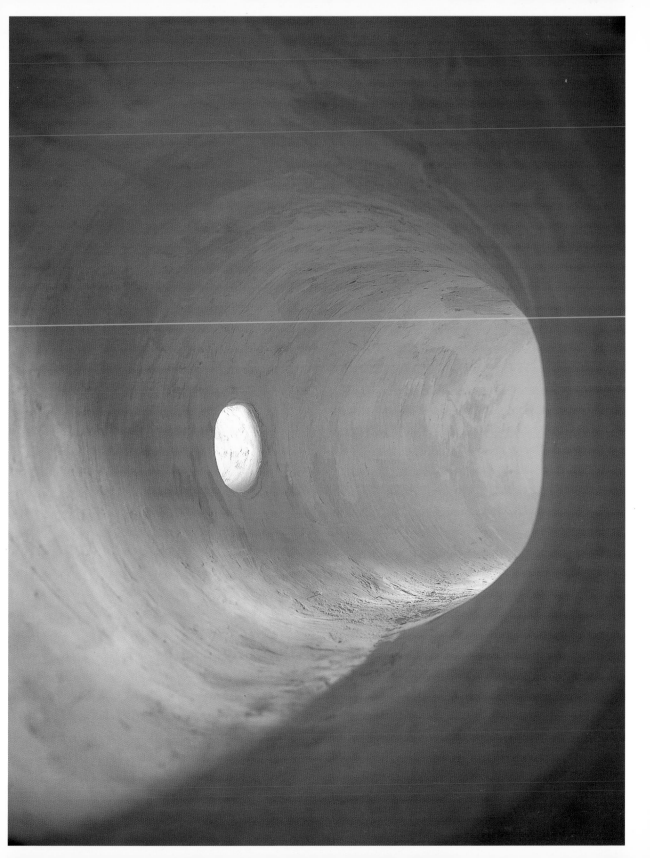

VI. *Tan preto tan lonxe*

No proceso perfilado arriba, o espectador vólvese paulatinamente consciente de cómo debe desenmarañar, vigorosamente, unha fotografía –unha vista– doutra.

Noutras fotografías Casebere emprega outra estratexia para enxendrar unha segunda mirada por parte dos espectadores. Neste caso, non notámo-la similitude entre as tomas individuais, observámo-la diferencia entre un plano longo e un primeiro plano. En resumo, o que de lonxe parece unha imaxe dun espacio real e verificable, unha vez examinada en detalle, parece unha visión construída e imaxinaria. A escala da ilusión mídese pola distancia entre espectador e imaxe.

De lonxe... en *Asylum* (Asilo) vemos unha ascética cela de monxe. Non podemos discernir se a ventá é real ou un reflexo da luz doutro lugar... En *Tall Stack of Beds* (Morea alta de camas), estes obxectos abandonados parecen estar cubertos de po ou de balor... En *Tunnels* (Túneles) desprendeuse parte do teito, deixando xeso esparexido polo chan... os detalles, as descricións, son interminables. En cada ocasión, un espacio baleiro, definido con frecuencia pola súa fonte de iluminación ou por un detalle arquitectónico.

De preto... o espacio de *Asylum* semella desintegrarse diante dos nosos ollos... as camas de *Tall Stack* parecen efémeras, capaces de desintegrarse ó tacto... *Flooded Hallway* parécese máis a unha pintura ca a unha fotografía... todo o estatus da "fotografía", do "modelo", é posto en dúbida... en *Hospital*, as camas parecen irreais, coma obxectos ilusorios albiscados a través dun claro na néboa. E así sucesivamente.

Sempre esta desunión entre o que vemos e o que cremos ver. Entre o que sabemos da práctica de Casebere, e o testemuño que temos diante. Tal vez, despois de todo, sexa o "movemento dun instante ó seguinte" o que importa. O espacio da fotografía só empeza a cobrar forma gracias á activación do espacio do espectador.

VI. *Tan cerca tan lejos*

En el proceso perfilado arriba, el espectador se vuelve paulatinamente consciente de cómo debe desenmarañar, vigorosamente, una fotografía –una vista– de otra.

En otras fotografías, Casebere emplea otra estrategia para engendrar una segunda mirada por parte de los espectadores. En este caso, no notamos la similitud entre las tomas individuales, observamos la diferencia entre un plano largo y un primer plano. En resumen, lo que de lejos parece una imagen de un espacio real y verificable, una vez examinada en detalle, parece una visión construida e imaginaria. La escala de la ilusión se mide por la distancia entre espectador e imagen.

De lejos... en *Asylum* (Asilo) vemos una ascética celda de monje. No podemos discernir si la ventana es real o un reflejo de la luz de otro lugar... En *Tall Stack of Beds* (Pila alta de camas), estos objetos abandonados parecen estar cubiertos de polvo o de moho... En *Tunnels* (Túneles) se ha desprendido parte del techo, dejando yeso esparcido por el suelo... los detalles, las descripciones, son interminables. En cada ocasión, un espacio vacío, definido con frecuencia por su fuente de iluminación o por un detalle arquitectónico.

De cerca... el espacio de *Asylum* parece desintegrarse delante de nuestros ojos... las camas de *Tall Stack* parecen efímeras, capaces de desintegrarse al tacto... *Flooded Hallway* se parece más a una pintura que a una fotografía... todo el estatus de la "fotografía", del "modelo", es puesto en duda... en *Hospital*, las camas parecen irreales, como objetos ilusorios vislumbrados a través de un claro en la niebla. Y así sucesivamente.

Siempre esta desunión entre lo que vemos y lo que creemos ver. Entre lo que sabemos de la práctica de Casebere, y el testimonio que tenemos delante. Tal vez, después de todo, sea el "movimiento de un instante al siguiente" lo que importa. El espacio de la fotografía sólo empieza a cobrar forma gracias a la activación del espacio del espectador.

Tall Stack of Beds, 1997
Morea alta de camas
Cibachrome
305 x 244 cm

Barrel Vaulted Room, 1994
Habitación con bóveda de canón
Cibachrome
76 x 61 cm

Toilets, 1995
Inodoros
Cibachrome
61 x 76 cm

Tunnels, 1995
Túneles
Cibachrome
61 x 76 cm

Cell with Rubble, 1996
Celda con rebos
Cibachrome
61 x 76 cm

Arena, 1996
Area
Cibachrome
61 x 76 cm

Apse, 1996
Ábsida
Cibachrome
61 x 76 cm

Hospital, 1996
Cibachrome
61 x 76 cm

Two Bunk Cell, 1997
Celda con dúas liteiras
Cibachrome
152,5 x 122 cm

Converging Hallways from Left, 1997
Vestíbulos converxentes desde a esquerda
Cibachrome
218 x 305 cm

Converging Hallways from Right, 1997
Vestíbulos converxentes desde a dereita
Cibachrome
122 x 183 cm

Toppled Desks, 1997
Mesas envorcadas
Cibachrome
76 x 61 cm

Single Tunnel (with Dark Hole), 1998
Túnel individual (con abertura escura)
Cibachrome
102 x 76 cm

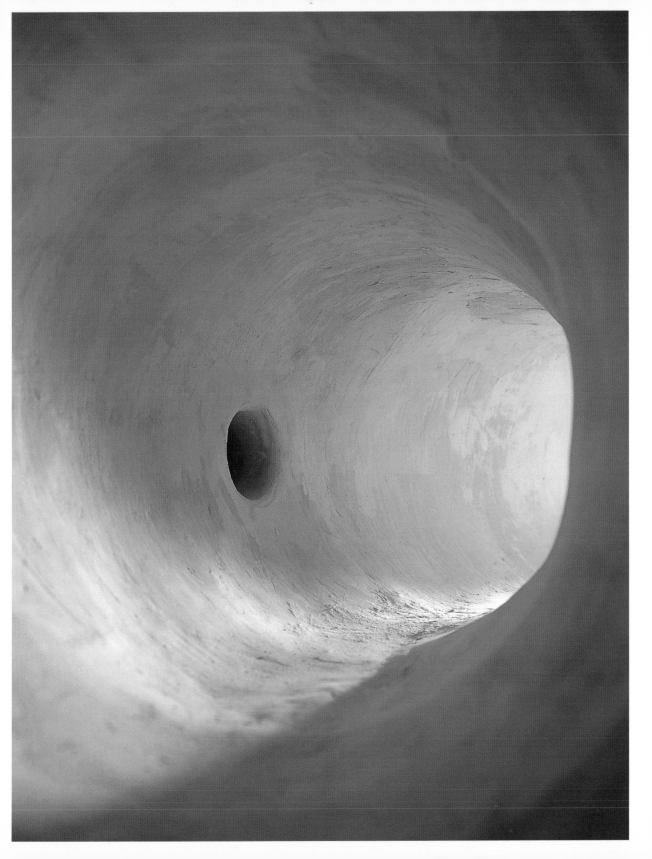

Two Tunnels from Left (Horizontal), 1998
Dous túneles desde a esquerda (horizontal)
Cibachrome
122 x 152,5 cm

Two Tunnels from Right (Horizontal), 1998
Dous túneles desde a dereita (horizontal)
Cibachrome
122 x 152,5 cm

Two Tunnels from Left (Vertical), 1998
Dous túneles desde a esquerda (vertical)
Cibachrome
76 x 61 cm

Two Tunnels from Right (Vertical), 1998
Dous túneles desde a dereita (vertical)
Cibachrome
76 x 61 cm

Onde chega o aire
Conversa entre
James Casebere e Donna Lynas

Donna Lynas No pasado, os críticos falaron moito da influencia da obra de Michel Foucault, *Surveiller et punir*[1], sobre o teu traballo. Visto agora, ¿ata que punto consideras que repercutiu o libro? ¿Naceron as obras directamente das cuestións debatidas por Foucault?

James Casebere Non. Creo que máis ben influíu sobre a resposta que tivo o público ante a obra. Lin a Foucault hai moitos anos. Lera *Vixiar e castigar* no bacharelato, ou pouco despois. Uns dez ou doce anos máis tarde, cando empecei a traballar coas prisións, gustábame crer que estaba creando obras sobre a realidade, non sobre a prisión como metáfora do mundo social. Un dos problemas que tiven con esa noción era que me vía tanto a min mesmo coma a Michel Foucault vivindo unha vida relativamente privilexiada. Consideraba a súa utilización metafórica da prisión, en certa medida, paranoica. É un tema complexo. Non podo afirmar que Foucault estivese totalmente equivocado, pero é unha cuestión de énfase, e nese momento eu cría que parte da miña fascinación polas prisións tiña que ver coa realidade, moito máis horrible, segundo a cal nos Estados Unidos unha porcentaxe máis elevada de prisioneiros procedente dunha minoría étnica pobre era encarcerada, ocultada e esquecida. Nos anos oitenta tivemos ese enorme *boom* carcerario, así que debido ó feito de ser branco e de familia burguesa, e de desfrutar da liberdade de pasa-la miña vida creando arte, parecíame presuntuoso queixarme por vivir nun contorno de vixilancia absoluta. As cuestións de raza e de clase seguían sendo moito máis relevantes.

DL As imaxes non son representacións literais de prisións, ¿verdade? Son espacios limpos, fermosos, lugares que un case elixiría para visitar.

JC Non son espacios reais. Non son fríos nin húmidos, nin están cheos de rebos. Teñen que ver coas orixes do cárcere no movemento de reforma da prisión, de inspiración cuáquera, que se produciu a finais do século dezaoito e principios do dezanove. A idea era trasladalos valores de soidade e redención ó castigo: sacalo dos dominios do espectáculo público, e afastalo da humillación, a tortura, o desmembramento e a execución. O encarceramento estaba vinculado ó ideal da reforma; a incomunicación [o confinamento en solitario], o valor positivo da soidade. Sen embargo, tamén este sistema foi un fracaso dende o principio. O feito de intentar impoñe-los valores cuáqueros norteuropeos ós prisioneiros do sur de Europa (inmigrantes italianos, afeitos a estar amoreados, coas súas familias numerosas, en apartamentos), obrigándoos ó illamento e restrinxindo o seu contacto co mundo exterior ás visitas dos ministros cuáqueros, iso levou a moitos prisioneiros á loucura. De tódolos xeitos, intentaba estudiar ese tipo de cuestión: chama-la atención sobre a diferencia entre o illamento forzoso e a soidade voluntaria, evocar esa tensión.

DL Para min, unha obra como *Asylum* (Asilo), de 1994, parece ofrecerlle certa espirituali-dade á soidade e á redención das que falas. ¿Que opinas da vertente espiritual do teu traballo?

JC Interésame, e supoño que está aí, especialmente nos interiores de prisións que realizaba antes, unha luz divina. Resúltame difícil falar diso, salvo dende un punto de vista histórico.

DL Parece coma se estiveses tentando crear "espacio", quizais para ti mesmo. Cando cons-trúe-las maquetas no teu estudio, debes ensimesmarte no acto de crear, entrando na túa propia clase de tempo ou de "espacio". ¿Ata que punto foi importante para ti quedar absorto polo proceso de creación?

JC Verás, paréceme relevante, aínda que creo que me resulta algo ambiguo. Por unha banda, valóroo como experiencia; o proceso é importante porque implica o tempo, a creación dun espacio de soidade co tempo. Intento reflectir unha experiencia que desexo, á vez que resinto*. Contemplo a natureza solitaria desa actividade con cariño, pero tamén considero que o traballo, en ocasións, é restrictivo, de aí que intente construír esas sensacións nalgunhas partes do traballo. Creo que aí é onde radica a ambigüidade: amo ese espacio, pero ¡Deus, quero saír de aquí tan pronto como poida! Así que non estou moi certo do qué se trata, se do medo ou da euforia, a claustrofobia ou a iluminación.

DL ¿Guíaste por algunha estraña ética protestante do traballo, segundo a cal sentes que debes investir moitas horas nunha peza?

JC ¿Para chegar a conferirlle importancia, éxito ou validez?

DL Si, quero dicir que pode existi-la idea de que un deba pasar moito tempo creando algo para que iso teña validez.

JC Si, creo que isto é verdade. É algo que sentín ou crin, inconscientemente, e quizais unha parte inconsciente deste traballo sexa un desexo de rexeitar iso.

DL ¿Segues facendo as maquetas persoalmente, a pesar de ter un axudante?

JC A verdade, cada vez menos. En certa maneira, o contido é menos un reflexo da miña experiencia actual que de experiencias anteriores. Así que agora, en realidade, sempre teño xente no meu estudio e a soidade que desfruto encóntroa noutra parte.

DL Creo que a obra recente o reflicte. As pezas anteriores parecían alcanzar unha especie de beleza fría, misteriosa. As obras novas son moito máis cálidas.

JC En parte isto débese ó feito de utilizar color. Cando empecei a realiza-las primeiras imaxes de prisións, empecei a fotografalas utilizando película de color, positivando copias en color. Dado que estaba sacando tanta información da fotografía, deixando só ese rectángulo baleiro, quería engadir outro nivel, outra sensación. A textura estaba aí, pero eu quería engadirlle color, paulatinamente, de distintas maneiras. Así, *Converging Hallways* (Vestíbulos conver- xentes), de 1997, presentaba un escenario totalmente branco, pero introducín luz coloreada no espacio para darlle máis calidez. Tentaba simula-la color da luz diúrna. Trátase dunha copia máis cálida, e a gama de color é máis ampla. Daquela empecei a engadir color ó xeso, así que nas obras máis novas mesturei pigmento marelo, vermello e negro, mentres cons- truía a maqueta. Na imaxe máis recente, *Flooded Hallway* (Vestíbulo asolagado), de 1998, introducín auga na imaxe. Tentaba engadir cousas como balor e as manchas de auga.

DL ¿Por que cres que introduciches estes elementos agora?

JC Non o sei.

DL ¿ Terán as obras cada vez máis cor?

JC Probablemente. Estoume achegando paulatinamente a un maior uso da color nalgunhas das *Polaroids* de 50 x 60 cm que fixen recentemente. Supoño que estas imaxes teñen menos que ver co illamento, empezan a ter outro tipo de contido.

DL ¿Por que a auga? ¿É un mecanismo visual, para xogar cos reflexos, ou hai algunha razón metafísica para usala?

JC Tal vez haxa unha interpretación metafórica, sen que eu che diga cál é. (Silencio). Sempre resultou algo máis doado falar do contido social que do psicolóxico, do que significa para min persoalmente. Supoño que as obras se están volvendo un pouco máis universais e menos específicas, segundo vai pasando o tempo, e algunhas das habitacións baleiras son difíciles de localizar. Hai moito tempo, ocupábame das iconas americanas e despois pasei a esta imaxinería arquitectónica europea, e despois, de modo máis amplo, á imaxinería arquitectónica antiga. Moitas destas habitacións son espacios de circulación –corredores, túneles, vestíbulos–, e en ocasións fan referencia ás prisións. En parte, o traballo máis recente foi motivado por algunhas imaxes que vin en Berlín de estacións de metro abandonadas, así como de refuxios e cloacas. A auga foi algo que intentei utilizar durante certo tempo. De novo, ten que ver co feito de engadir color; é unha textura diferente, engade outro elemento, outro nivel de ilusión. Estou intentando crear certa ambigüidade, primeiro en relación coa escala, e logo en canto ó feito de ser real ou non. Coa auga, espero que se chegue a impulsa-la ilusión noutra dirección. ¿Parece máis real ca aquelas que non teñen auga?

DL Si, estaba pensando que te dedicaras a representar estereotipos e que agora estendiches este elemento de realismo. *Flooded Hallway* parece extraordinariamente realista.

JC En parte ten que ver co feito de descubrir, no proceso, o que algúns destes materiais son capaces de facer, e qué tipo de equilibrio podo obter, cómo podo construí-lo reflexo. Nesa peza, a iluminación é un pouco máis complicada que habitualmente. Se se contemplan practicamente tódalas outras fotografías da exposición (a excepción de *Sing Sing*, que é anterior), só hai unha fonte de luz e non creo que se proxecte ningunha sombra sobre os obxectos. Todas están iluminadas dende arriba, ou dende un lado. Como moito, hai unha reixa diante dunha ventá, pero non se proxecta ningunha outra sombra dende o exterior da imaxe. Nesta obra, a luz reflectida na auga dispérsase, formando un debuxo que suaviza a arquitectura. A luz reduce a profundidade, suavizando a perspectiva. A forma da sombra disolve a xeometría simple, resaltando a superficie da imaxe, reducindo a definición do espacio representado.

DL Estas obras parecen máis orgánicas, especialmente *Tunnels* (Túneles). Non da tanto a impresión de que che preocupe a arquitectura; a min fanme pensar en intestinos.

JC En realidade a miña intención era que parecesen máis intestinais, non só subterráneas. (Pausa).

DL Resulta difícil distanciarte da obra que acabas de realizar, analizala obxectivamente.

JC Tes razón. Creo que era consciente do que estaba facendo. A redondez das dúas fotos de túneles, e mesmo a auga de *Flooded Hallway*, fana, de súpeto, máis orgánica. (Pausa larga). A outra noite estaba ceando con Willie Doherty, e falamos do contido da súa obra pois, polo visto, alguén lle dixera que pensaba que o seu traballo tiña que ver coa aniquilación. El dixo que estaba tentando asumilo, pero que de neno, mentres crecía en Irlanda do Norte, tiña soños recorrentes sobre a chegada de helicópteros que lanzaban bombas, sobre unha explosión ó final da rúa, e sobre o medo de voar polos aires. Así que a túa pregunta sobre a auga como metáfora na miña obra lémbrame iso. Non estou fixo do que significa, pero eu tamén tiven soños recorrentes de lugares asolagados. Tenden a ser cuartos de baño inmensos, con habitación tras habitación de urinarios e de aseos, todos desbordándose e, fundamentalmente, ó entrar na habitación, os pés vense inmersos en charcos de excrementos. Esta non era directamente a imaxe que buscaba crear, pero quizais aparecesen algúns vestixios en determinadas obras recentes.

DL A máis obvia das cales é *Toilets* (Inodoros), de 1995.

JC Si. Ten que ver coa intimidade e a súa ausencia, co espacio social. Pero quizais sexa un signo de que a atracción que sinto por estas cloacas garda relación con este soño, e tal vez en *Flooded Hallway* eu tivese o soño presente, dalgunha maneira, e pensase ¿que é esta inundación, e por que estou metido nela?

DL ¿No soño, non hai ningunha escapatoria? ¿Chegas a fuxir?

JC En realidade non é medo a quedar incomunicado. Simplemente é coma se estiveses buscando o aseo que non estea tapado, que estea limpo, e non o encontras porque están todos rebordando. Ábre-la porta e aí está esa auga inmunda saíndo a moreas do aseo, e suponse que o tes que utilizar. No soño é así, só que pasa o mesmo nunha habitación tras outra. Non sei por qué teño sempre eses soños. Estou seguro de que existe unha boa explicación freudiana. Quizais teña algo que ver coa austeridade, coa énfase na ética do traballo da que falabamos.

DL A razón pola que preguntaba pola fuxida é porque eu sempre soño que estou nun espacio, non moi distinto do de *Flooded Hallway*, no que a auga crece pouco a pouco ata que me cobre, e non podo fuxir.

JC ¿É así como interpretas esa peza?

DL Verás, supoño que non. Para min, a auga nesa obra é case unha saída. A auga parece quieta, mesmo estancada. Pero intúese que debe existir unha entrada e unha saída, unha vía de escape.

JC Iso é interesante. Se coincide co feito de que hai interseccións de corredores e de portas abertas. Ten que ver máis co movemento que co feito de estar atrapado, e coa circulación da auga ademais da do aire.

DL Son espacios nos que poderías estar vivo, poderías sobrevivir porque teñen certa atmosfera.

JC Dunha banda, poderíache contar, de modo moi específico, o que pensaba cando empecei a facer fotografías sobre os diversos tipos arquitectónicos, dentro da historia arquitectónica da prisión. Pero con estas obras novas non estou partindo dun propósito así, non estou intentando ilustrar nada, e tal vez me atope nun deses momentos nos que descubro o significado da obra a través da súa realización; en fin, de tódolos xeitos adoita ser así unha vez finalizaches.

DL Así que é intuitivo.

JC É. Nun ámbito consciente, moitas destas imaxes derivan dunha viaxe que realicei a Berlín, onde me interesei por sitios coma a Potsdamer Platz. Interesábame a historia de Berlín en relación co metro e co pasado. O muro de Berlín supuxo o cesamento da circulación dos trens metropolitanos entre as zonas orientais e occidentais e, por conseguinte, a paralización da actividade das estacións, durante os anos sesenta. Con anterioridade, na década dos corenta, existía todo tipo de espacios interesantes subterráneos, como o búnker de Hitler, e cando contemplaba estas fotografías, pensaba que era coma Los Ángeles ou algo así. Xa sabes, Los Ángeles é unha cidade feliz, é Hollywood, todo o mundo sorrí mentres pensa no seu seguinte proxecto. Nunca se ve a súa degradación. Mike Kelly chamou a atención sobre esa parte de Los Ángeles, o lado que ninguén contemplaba, os abusos infantís, o psicolóxico, o escatolóxico. Así que cando fun a Berlín tiven a mesma sensación. Aquí tiñamos unha cidade que pensaba no futuro, pero a min interesábame o que había debaixo dela, que esencialmente é o pasado, o pasado enterrado, o esquecido.

DL ¿As esferas sociais esquecidas, á parte da historia?

JC Si.

DL Preguntábame se á hora de crear estes espacios sociais baleiros, como escolas e hospitais, pensabas nestes lugares como unha boa idea ou non. Le Corbusier afirmou que para sobrevivir, necesitabamos vivir socialmente; tanto física como psicoloxicamente, baseaba as súas ideas arquitectónicas na vida social.

JC Non creo que estivese intentando dicir que fose nin bo ni malo. Non ten nada que ver coa formación dun xuízo de valor sobre os espacios sociais, senón máis ben co intento de crear unha determinada atmosfera, como o loito ou a tristeza, empregando a luz lateral para suxerir unha sensación de perda. En certo modo, todo é social -a cantidade de camas, o intento de facer referencia a algunha traxedia colectiva máis que persoal, de crea-lo seu

ambiente ou atmosfera-. Quería afastarme da cama individual dentro da habitación indivi-
dual. Nunha ocasión pasei certo tempo nesta prisión abandonada. Fixen moitas fotografías
alí, e empecei a reunilas. A través das fotografías intentei crear esta colección virtual, unha
rede de imaxes sobre a circulación, a circulación do aire neses cento vintedous mil metros
cadrados. Creo que, inicialmente, en parte iso tiña que ver co feito de que todas estas insti-
tucións modernas se baseaban no descubrimento de que os xermes se transmiten polo aire,
e de que necesitamos auga limpa para impedi-la propagación de enfermidades. Ó pasar
moito tempo neste edificio, interesoume crear esta sensación, intentar descubrir ónde vai o
aire, que tamén podería ser unha especie de ruta de escape, ¿sabes?, o prisioneiro sempre
escapa polo respiradoiro. Así que intentei segui-lo aire, non chamar tanto a atención sobre
o recinto pechado senón, primordialmente, sobre este movemento. Chegado a este punto,
non sei por qué. (Risa).

As imaxes que acompañan este traballo pertencen á exposición do artista no Museum of Modern Art de Oxford en 1999

[1] Existe a versión en castelán, *Vigilar y castigar*, ed. Siglo XXI, Madrid, 1998

Donde llega el aire

Conversación entre
James Casebere y Donna Lynas

Donna Lynas En el pasado, los críticos han hablado mucho de la influencia de la obra de Michel Foucault, *Vigilar y castigar*, en tu trabajo. Visto ahora, ¿hasta qué punto consideras que repercutió el libro? ¿Nacieron las obras directamente de las cuestiones debatidas por Foucault?

James Casebere No. Creo que más bien influyó sobre la respuesta que tuvo el público a la obra. Leí a Foucault hace muchos años. Había leído *Vigilar y castigar* en el bachillerato, o poco después. Unos diez o doce años más tarde, cuando empecé a trabajar con las prisiones, me gustaba creer que estaba creando obras sobre la realidad, no sobre la prisión como metáfora del mundo social. Uno de los problemas que tuve con esa noción era que me veía tanto a mí mismo como a Michel Foucault viviendo una vida relativamente privilegiada. Consideraba su utilización metafórica de la prisión, en cierta medida, paranoica. Es un tema complejo. No puedo afirmar que Foucault estuviese totalmente equivocado, pero es una cuestión de énfasis, y en ese momento yo creía que parte de mi fascinación por las prisiones tenía que ver con la realidad, mucho más horrible, según la cual en los Estados Unidos un porcentaje más elevado de prisioneros procedente de una minoría étnica pobre era encarcelado, ocultado y olvidado. En los años ochenta tuvimos ese enorme *boom* carcelario, así que debido al hecho de ser blanco y de familia burguesa, y de disfrutar de la libertad de pasar mi vida creando arte, me parecía presuntuoso quejarme por vivir en un entorno de vigilancia absoluta. Las cuestiones de raza y de clase seguían siendo mucho más relevantes.

DL Las imágenes no son representaciones literales de prisiones, ¿verdad? Son espacios limpios, hermosos, lugares que uno casi elegiría para visitar.

JC No son espacios reales. No son fríos ni húmedos, ni están llenos de escombros. Tienen que ver con los orígenes de la cárcel en el movimiento de reforma de la prisión, de inspiración cuáquera, que se produjo a finales del siglo dieciocho y principios del diecinueve. La idea era trasladar los valores de soledad y redención al castigo: sacarlo de los dominios del espectáculo público, y alejarlo de la humillación, la tortura, el desmembramiento y la ejecución. La encarcelación estaba vinculada al ideal de la reforma; la incomunicación [el confinamiento en solitario], al valor positivo de la soledad. Sin embargo, también este sistema fue un fracaso desde el principio. El hecho de intentar imponer los valores cuáqueros noreuropeos a los prisioneros del sur de Europa (inmigrantes italianos, acostumbrados a estar hacinados, con sus familias numerosas, en apartamentos), obligándoles al aislamiento y restringiendo su contacto con el mundo exterior a las visitas de los ministros cuáqueros, sencillamente llevó a muchos prisioneros a la locura. De todas formas, intentaba estudiar ese tipo de cuestión: llamar la atención sobre la diferencia entre el aislamiento forzoso y la soledad voluntaria, evocar esa tensión.

DL Para mí, una obra como *Asylum* (Asilo), de 1994, parece ofrecerle cierta espiritualidad a la soledad y redención de las que hablas. ¿Qué opinas de la vertiente espiritual de tu trabajo?

JC Me interesa, y supongo que está ahí, especialmente en los interiores de prisiones que realizaba antes, una luz divina. Me resulta difícil hablar de ello, salvo desde un punto de vista histórico.

DL Parece como si estuvieses intentando crear "espacio", quizá para ti mismo. Cuando construyes las maquetas en tu estudio, debes ensimismarte en el acto de crear, entrando en tu propia clase de tiempo o de "espacio". ¿Hasta qué punto ha sido importante para ti quedar absorto por el proceso de creación?

JC Bueno, me parece relevante, aunque creo que me resulta algo ambiguo. Por una parte, lo valoro como experiencia; el proceso es importante porque implica el tiempo, la creación

de un espacio de soledad con el tiempo. Intento reflejar una experiencia que deseo, a la vez que resiento. Contemplo la naturaleza solitaria de esa actividad con cariño, pero también considero que el trabajo, en ocasiones, es restrictivo, de ahí que intente construir esas sensaciones en algunas partes del trabajo. Creo que ahí es donde radica la ambigüedad: amo ese espacio, pero ¡Dios, quiero salir de aquí tan pronto como pueda! Así que no estoy muy seguro de qué se trata, si del miedo o de la euforia, la claustrofobia o la iluminación.

DL ¿Te guías por alguna extraña ética protestante del trabajo, según la cual sientes que debes invertir muchas horas en una pieza?

JC ¿Para llegar a conferirle importancia, éxito o validez?

DL Sí, quiero decir que puede existir la idea de que uno se deba pasar mucho tiempo creando algo para que eso tenga validez.

JC Sí, creo que eso es verdad. Es algo que he sentido o creído, inconscientemente, y quizás una parte inconsciente de este trabajo sea un deseo de rechazar eso.

DL ¿Sigues haciendo las maquetas personalmente, a pesar de tener un ayudante?

JC Bueno, cada vez menos. En cierto modo, el contenido es menos un reflejo de mi experiencia actual que de experiencias anteriores. Así que ahora, en realidad, siempre tengo gente en mi estudio y la soledad que disfruto la encuentro en otra parte.

DL Creo que la obra reciente lo refleja. Las piezas anteriores parecían alcanzar una especie de belleza fría, misteriosa. Las obras nuevas son mucho más cálidas.

JC En parte esto se debe al hecho de utilizar color. Cuando empecé a realizar las primeras imágenes de prisiones, empecé a fotografiarlas utilizando película de color, positivando copias en color. Dado que estaba sacando tanta información de la fotografía, dejando tan sólo ese rectángulo vacío, quería añadir otro nivel, otra sensación. La textura estaba ahí, pero yo quería añadir color, paulatinamente, de distintas maneras. Así, *Converging Hallways* (Vestíbulos convergentes), de 1997, presentaba un escenario totalmente blanco, pero introduje luz coloreada en el espacio para darle más calidez. Intentaba simular el color de la luz diurna. Se trata de una copia más cálida, y la gama de color es más amplia. Entonces empecé a añadir color al yeso, así que en las obras más nuevas mezclé pigmento amarillo, rojo y negro, mientras construía la maqueta. En la imagen más reciente, *Flooded Hallway* (Vestíbulo inundado), de 1998, introduje agua en la imagen. Intentaba añadir cosas como el moho y las manchas de agua.

DL ¿Por qué crees que has introducido estos elementos ahora?

JC No lo sé.

DL ¿Tendrán las obras cada vez más color?

JC Probablemente. Me estoy aproximando paulatinamente a un mayor uso del color en algunas de las *Polaroids* de 50 x 60 cm que tomé recientemente. Supongo que estas imágenes tienen menos que ver con el aislamiento, empiezan a tener otro tipo de contenido.

DL ¿Por qué el agua? ¿Es un mecanismo visual, para jugar con los reflejos, o hay alguna razón metafísica para usarlo?

JC Tal vez haya una interpretación metafórica, sin que yo te diga cuál es. (Silencio). Siempre ha resultado algo más fácil hablar del contenido social que del psicológico, de lo que significa para mí personalmente. Supongo que las obras se están volviendo un poco más universales y menos específicas, a medida que pasa el tiempo, y algunas de las habitaciones vacías son difíciles de localizar. Hace mucho tiempo, me ocupaba de los iconos americanos y luego pasé a esta imaginería arquitectónica europea, y luego, de modo más amplio, a la imaginería arquitectónica antigua. Muchas de estas habitaciones son espacios de circulación –corredores, túneles, vestíbulos–, y en ocasiones hacen referencia a las prisiones. En parte, el trabajo más reciente ha sido motivado por algunas imágenes que vi en Berlín de estaciones de metro abandonadas, así como de refugios y cloacas. El agua ha sido algo que he estado intentando utilizar durante cierto tiempo. De nuevo, tiene que ver con el hecho de añadir color; es una textura diferente, añade otro elemento, otro nivel de ilusión. Estoy intentando crear cierta ambigüedad, primero en relación a la escala, y luego en cuanto al hecho de ser real o no. Con el agua, espero que se llegue a impulsar la ilusión en otra dirección. ¿Parece más real que aquellas que no tienen agua?

DL Sí, estaba pensando que te habías dedicado a representar estereotipos y que ahora has extendido este elemento de realismo. *Flooded Hallway* parece extraordinariamente realista.

JC En parte tiene que ver con el hecho de descubrir, en el proceso, lo que algunos de estos materiales son capaces de hacer, y qué tipo de equilibrio puedo obtener, cómo puedo construir el reflejo. En esa pieza, la iluminación es un poco más complicada que habitualmente. Si se contemplan prácticamente todas las otras fotografías de la exposición (a excepción de *Sing Sing*, que es anterior), sólo hay una fuente de luz y no creo que se proyecte ninguna sombra sobre los objetos. Todas están iluminadas desde arriba, o desde un lado. Como mucho, hay una rejilla delante de una ventana, pero no se proyecta ninguna otra sombra desde el exterior de la imagen. En esta obra, la luz reflejada en el agua se dispersa, formando un dibujo que suaviza la arquitectura. La luz reduce la profundidad, suavizando la perspectiva. La forma de la sombra disuelve la geometría simple, resaltando la superficie de la imagen, reduciendo la definición del espacio representado.

DL Estas obras parecen más orgánicas, especialmente *Tunnels* (Túneles). No da tanto la impresión de que te preocupe la arquitectura; a mí me hacen pensar en intestinos.

JC Mi intención era que pareciesen más intestinales, no sólo subterráneas. (Pausa).

DL Resulta difícil distanciarte de la obra que acabas de realizar, analizarla objetivamente.

JC Tienes razón. Creo que era consciente de lo que estaba haciendo. La redondez de las dos fotos de túneles, e incluso el agua de *Flooded Hallway*, la hacen, de repente, más orgánica. (Pausa larga). La otra noche estaba cenando con Willie Doherty, y hablábamos del contenido de su obra pues, al parecer, alguien le había dicho que pensaba que su trabajo tenía que ver con la aniquilación. Él dijo que lo estaba intentando asumir, pero que de niño, mientras crecía en Irlanda del Norte, tenía sueños recurrentes sobre la llegada de helicópteros que lanzaban bombas, sobre una explosión al final de la calle, y sobre el miedo de volar por los aires. Así que tu pregunta sobre el agua como metáfora en mi obra me recuerda a eso. No estoy seguro de lo que significa, pero yo también he tenido sueños recurrentes de lugares inundados. Tienden a ser cuartos de baño inmensos, con habitación tras habitación de urinarios y de aseos, todos desbordándose y, fundamentalmente, al entrar en la habitación, los pies se ven inmersos en charcos de excrementos. Ésta no era directamente la imagen que buscaba crear, pero quizá hayan aparecido algunos vestigios en determinadas obras recientes.

DL La más obvia de las cuales es *Toilets* (Inodoros), de 1995.

JC Sí. Tiene que ver con la intimidad y su ausencia, con el espacio social. Pero quizá sea un signo de que la atracción que siento hacia estas cloacas guarda relación con este sueño, y tal vez en *Flooded Hallway* yo tuviese el sueño presente, de alguna manera, y pensase ¿qué es esta inundación, y por qué estoy metido en ella?

DL ¿No hay escapatoria alguna, en el sueño? ¿Llegas a huir?

JC En realidad no es un miedo a quedarme incomunicado. Simplemente es como si estuvieses buscando el aseo que no esté tapado, que esté limpio, y no lo encuentras porque están todos desbordándose. Abres la puerta y ahí está esa agua inmunda saliendo a raudales del aseo, y se supone que lo tienes que utilizar. En el sueño es así, sólo que pasa lo mismo en una habitación tras otra. No sé porqué tengo siempre esos sueños. Estoy seguro de que existe una buena explicación freudiana. Quizá tenga algo que ver con la austeridad, con el énfasis en la ética del trabajo de la que hablábamos.

DL La razón por la que preguntaba por la huida es porque yo siempre sueño que estoy en un espacio, no muy distinto al de *Flooded Hallway*, en el que el agua crece poco a poco hasta que me sumerge, y no puedo huir.

JC ¿Es así como interpretas esa pieza?

DL Bueno, supongo que no. Para mí, el agua en esa obra es casi una salida. El agua parece quieta, incluso estancada. Pero se intuye que debe existir una entrada y una salida, una ruta de escape.

JC Eso es interesante. Bueno, sí coincide con el hecho de que hay intersecciones de corredores y de puertas abiertas. Tiene que ver más con el movimiento que con el hecho de estar atrapado, y con la circulación del agua además de la del aire.

DL Son espacios en los que podrías estar vivo, podrías sobrevivir porque tienen cierta atmósfera.

JC Por una parte, te podría contar, de modo muy específico, lo que pensaba cuando empecé a hacer fotografías sobre los diversos tipos arquitectónicos, dentro de la historia arquitectónica de la prisión. Pero con estas obras nuevas no estoy partiendo de un propósito así, no estoy intentando ilustrar nada, y tal vez me encuentre en uno de esos momentos en que descubro el significado de la obra a través de su realización; bueno, de todas formas suele ocurrir así.

DL Así que es intuitivo.

JC Sí. A un nivel consciente, muchas de estas imágenes derivan de un viaje que realicé a Berlín, donde me interesé por sitios como la Potsdamer Platz. Me interesaba la historia de Berlín en relación al metro y al pasado. El muro de Berlín supuso el cese de la circulación de los trenes metropolitanos entre las zonas orientales y occidentales y, por consiguiente, la paralización de la actividad de las estaciones, durante los años sesenta. Con anterioridad, en la década de los cuarenta, existía todo tipo de espacios interesantes subterráneos, como el búnker de Hitler, y cuando contemplaba estas fotografías, pensaba que era como Los Ángeles o algo así. Ya sabes, Los Ángeles es una ciudad feliz, es Hollywood, todo el mundo sonríe mientras piensa en su siguiente proyecto. Nunca se ve su degradación. Mike Kelly llamó la atención sobre esa parte de Los Ángeles, el lado que nadie contemplaba, los abusos infantiles, lo psicológico, lo escatológico. Así que cuando fui a Berlín tuve la misma sensación. Aquí teníamos una ciudad que pensaba en el futuro, pero a mí me interesaba lo que había debajo de ella, que esencialmente es el pasado, el pasado enterrado, lo olvidado.

DL ¿Las esferas sociales olvidadas, aparte de la historia?

JC Sí.

DL Me preguntaba si, a la hora de crear estos espacios sociales vacíos, como escuelas y hospitales, te planteabas estos lugares como una buena idea o no. Le Corbusier afirmó que para sobrevivir, necesitábamos vivir socialmente; tanto física como psicológicamente, basaba sus ideas arquitectónicas en la vida social.

JC No creo que estuviese intentando decir que fuese ni bueno ni malo. No tiene nada que ver con la formación de un juicio de valor sobre los espacios sociales, sino más bien con el intento de crear una determinada atmósfera, como el luto o la tristeza, empleando la luz lateral para sugerir una sensación de pérdida. En cierto modo, todo es social -la cantidad de camas, el intento de hacer referencia a alguna tragedia colectiva más que personal, de crear su ambiente o atmósfera-. Quería alejarme de la cama individual dentro de la habitación individual. En una ocasión pasé cierto tiempo en esta prisión abandonada. Tomé muchas fotografías ahí, y empecé a reunirlas. A través de las fotografías intenté crear esta colección virtual, una red de imágenes sobre la circulación, la circulación del aire en esos ciento veintidós mil metros cuadrados. Creo que, inicialmente, en parte esto tenía que ver con el hecho de que todas estas instituciones modernas se basaban en el descubrimiento de que los gérmenes se transmiten por el aire, y de que necesitamos agua limpia para impedir la propagación de enfermedades. Al pasar mucho tiempo en este edificio, me interesó crear esta sensación, intentar descubrir a dónde va el aire, que también podría ser una especie de ruta de escape, ¿sabes?, el prisionero siempre se escapa por el respiradero. Así que intenté seguir el aire, no llamar tanto la atención sobre el recinto cerrado sino, primordialmente, sobre este movimiento. Llegado a este punto, no sé por qué. (Risa).

Las imágenes que acompañan este trabajo pertenecen a la exposición del artista en el Museum of Modern Art de Oxford en 1999

James Casebere welcomes us into his personal world in the present exhibition organised by the Centro Galego de Arte Contemporánea, in collaboration with the Museum of Modern Art in Oxford. His photographs evoke everyday scenarios, settings that seem familiar while they are far from rousing in us that feeling of warmth that stems from an intimate atmosphere. Such scenarios, treated independently, in a lifeless mysterious way, pictorially transform daily life from the very instant they reconstruct, from the point of view of architecture, a neighbouring reality. Casebere meticulously rebuilds them, piece by piece, constructing models in his studio. A Utopian, personal world transmitted by his photographs, immortalized.

His peculiar pieces, not devoid of a certain sense of drama derived from the peripheral places he portrays, in an analogous way convey a sense of playfulness by means of the fiction that conceals such constructed realities. For Casebere urges us to enter into his game, offering us uninhabited spaces that our gaze is able to control, spaces which we should however begin to form part of.

Manuel Fraga Iribarne
President of the Xunta de Galicia

James Casebere has devoted over two decades to constructing models, designing fictitious worlds that acquire a touch of reality in his photographs. Casebere is an architect of fleeting moments, a visionary who builds in *papier mâché*, transporting us to his mysterious world, for we - the beholders - are the only human presence inhabiting his recreated atmospheres.

The images that constitute this exhibition betray traces of "previous events", through the appearance of abandoned ruins of his architectural structures. Severe romantic visions, susceptible of awakening feelings of isolation or timelessness. His works reflect the mysticism appropriated by the images that combine appearance and reality, a dual nuance that impregnates his theatrical scenarios. Casebere assumes the characteristics of a builder, interpreting the three-dimensional architectural nature, inherent in his models, in a pictorial fashion.

Xesús Pérez Varela
Local Minister for Culture,
Social Communication and Tourism

Works such as these by James Casebere remind us that art's evocative power is as great as its ability to suggest mystery. Apparently, Casebere produces photographs of empty architectural spaces, defined by the tense contrast between a pictorially warm nature, and the light that marks and penetrates it. However, beholders perceive the existence of a play of nuances and measurements, a minimum yet precise scenography, carefully executed. We infer that something is taking place, that the lines, planes and volumes defining the architectural spaces possess a manual touch, a touch somewhere between tactile and pictorial.

When viewers learn that Casebere photographs models he has previously built himself, they understand the origin of their unease: they see clear large-format photographs representing architectural structures, and the representation attains credibility through the scale of each image. A subtle ironic game is established in the successive changes in scale practiced by Casebere, initially reduced in the model and subsequently enlarged in the final work. This arrangement, this manner of modifying the angle of both vision and perception, and the leading rôle played by viewers or the ambiguity with which the artist combines warm and seemingly cold elements, afford Casebere's work a personal and uncanny virtue.

For the Centro Galego de Arte Contemporánea and the Museum of Modern Art in Oxford, showing these works is a way of drawing attention to an oeuvre of unquestionable quality, the result of an attractive mental debate prior to material execution. An oeuvre which, having attained the difficult balance between thought and action, between what to say and how to say it, we firmly believe will persist in time. This show also marks the beginning of an appealing collaboration between the two art centres.

We would like to thank Michael Tarantino and Donna Lynas, curators of the exhibition, for their efficiency; those in charge of the Lisson Gallery, London, and Sean Kelly Gallery, New York, without whose collaboration this show would have been impossible; Martín Caramés, designer of the catalogue; Cecilia Pereira Marimón, responsible for the show in Santiago de Compostela; and very especially James Casebere, for his support of the project.

Miguel Fernández-Cid
Director of CGAC

Kerry Brougher
Director of MOMA, Oxford

Haunted Houses
Michael Tarantino

I. An Empty Space

He was sitting in the corner of the room, hunched against the wall. His arm was killing him, so painful that he didn't want to look at it. When he finally summoned the courage, he saw that there was a bone protruding from his elbow, slightly out of the skin, a white knob streaked with blood. It was excruciating each time that he moved, since each gesture shifted the precarious placement of the bone.

He remembered being tortured. The details were a bit fuzzy – weights smashed against his body, electrical shocks, head submerged in water, fake Russian roulette, stories about his family, etc. All that he could remember, for some reason, was the fact that his jailer was eating a sandwich, filled with egg salad, bacon, sausage, tomatoes and god knows how many other ingredients. It was called an "all day breakfast". He was drinking a large glass of milk with it. He kept repeating, "You didn't think that this kind of thing could happen here, did you?" And then another onslaught would begin.

Asylum, 1994
Cibachrome; 61 x 76 cm

He looked out at the room. From this angle, it seemed quite large, at least for one person. What struck him about it was that it was incredibly sparse. There was a bench along the far wall, which was quite low to the ground. It probably served as a bed as well. (He didn't remember using it.) Above its far end was a window with cells. And that was it.

And yet, the more he looked at this space (he probably kept looking because it hurt so much to move) the more strange it appeared to him. It was not as simple as it seemed.

To begin with, that bench, that slab (a mortuary slab?) seemed to be oddly aligned with the walls of the room, cutting across a corner of an arch as if it was a flat space. At the same time that window looked a bit too flat to be real. Perhaps it was a reflection from another window. But if that was the case, surely the lines of the bars would not be so perfectly formed. And that light which spread across the floor, stopping shortly before the corner where he was slumped... where was it coming from? The only source of light was that window (if it was a window) and it was incapable of illuminating the space like this. He hoped he was dreaming but knew he was not.

II. Photographing Fiction

Somehow it seems appropriate that James Casebere writes fiction and makes photographs of (mostly) interior spaces from table-top models that he constructs in his studio. It also seems appropriate that most of the recent photographs are of places of confinement, i.e. prisons, hospitals, asylums, etc. The fiction never seems to be directly related to the photographs. But the photos are also a fiction, the result of a process of constructing something from nothing, of building a space which abides by and confuses the rules of architecture and perspective. In fact, these works challenge our perception of (in this case) what a prison or an asylum could be. It is a place for confinement, for control, for punishment, for categorization. But it is a mental construct as much as it is a physical one.

A tunnel with a hole on one side. A series of beds stacked one on top of the other. A pile of chairs. An arena with different arched entrances and exits. A flooded hallway. What all of

Flooded Hallway, 1998
Cibachrome; 244 x 305 cm

these images have in common is that they are devoid of people. But not of a human presence. In each situation, we have an empty space, a space that literally seems to have been washed out. But we also have implied narratives, implied actions which have just been completed or are about to occur. The watery interior of *Flooded Hallway* could be the setting for a film noir. The stack of beds could be the aftermath of some horrible plague. The tunnel could be the site of an escape route. And so on. Casebere's photographs do not impose a narrative on the viewer, they suggest one. Like the camera in Robert Bresson's films, which often lingers in a space just before or just after a character enters or exits, these are scenes of the possible, left with just a trace of a human presence.

III. Haunted Houses

> *"In (Edgar Allan) Poe's paradigmatic haunted house, all the tell-tale signs of haunting were present, systematically culled from his romantic predecessors. The site was desolate; the walls were blank and almost literally 'faceless,' its windows 'eye-like' but without life... 'vacant'. It was, besides, a repository of centuries of memory and tradition, embodied in its walls and objects; the walls were marked by the 'discoloration of ages' and crumbling stones; the furnishings were dark, the rooms vaulted and gloomy..."*
> Anthony Vidler, *The Architectural Uncanny*

This discussion of Poe's *The Fall of the House of Usher* is situated in the context of Freud's notion of the "uncanny" (*unheimlich*). Freud himself talked of the translation of the German

Nine Alcoves, 1995
Cibachrome; 76 x 76 cm

word as "haunted house". Vidler, in a chapter entitled, "Unhomely Houses" speaks of the enigma of these sites which seem just the opposite of what we project them to be: unwelcoming, cold, dark and often, unpeopled. Usher's house has a life of its own, a history which matches that of any of the characters in the story.

The same can be said of Casebere's "houses", a set of places where the walls are "blank and almost literally faceless", "desolate", "discolored"... "vacant". But they are not "without life": the "arena" with its spotlight on the left, as if to highlight someone who is not there; the "nine alcoves" high above the floor which look down on another patch of light, perhaps with a pair of eyes behind each enclosure; the "cell with rubble" with its hastily plastered walls and a rectangular light above which makes the far wall look like a bottle: each space seems to be both more and less than its title describes. Each space is a home, an enclosure whose function seems to be up in the air.

IV. *Words Don't Begin to Convey...*

It's apparent at first glance that this is more than a house because of the sheer number of windows. Count them. On the left hand side, there are thirty of them. Two of them, on top, are larger than the others. On the façade facing us, I count seventy-five of them. Again, some windows are larger than others. And, on the top row, reading from left to right, where the penultimate window would be, there is a blank wall. This omission, as well as the interspersing of larger windows in what is almost a mathematically correct grouping, strikes us as being odd (or, uncanny).

To continue. The size of the house, the number of windows suggest that it is an institution, a building with a formal, codified purpose in which vast numbers of people are processed

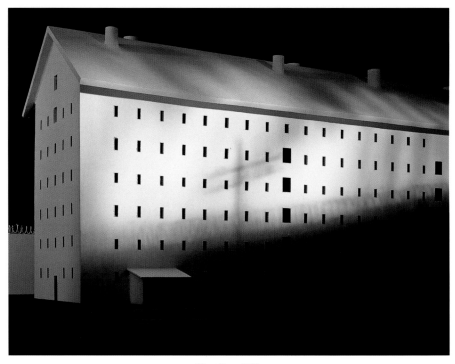

Sing Sing, 1992
Cibachrome; 122 x 157,5 cm

in and out. And, even though it is enveloped in darkness – it is night, there are shadows cutting across it, all the windows are blocked up – one is struck by the fact that an extraordinary amount of light would enter into this structure during the day, once the windows were open. It is, therefore, a place which suggests its opposite, a foreboding, desolate site which is transformed into a hive of activity during the day.

It is a prison, of course, and it is called *Sing Sing*. The barbed wire behind the building, the shadow of the wire reflected on the front, are further indications. *Sing Sing...* such a strange name for a prison. A phrase which can relate to the forced labour inside (singing in the middle of some mundane chore) or which can be taken as a sarcastic comment on the abysmal conditions within, where people who have been convicted of committing violent crimes are kept in "maximum security". And that light sweeping across the front is probably the surveillance light, endlessly illuminating the building and the courtyard, constantly breaking through the boards of the windows to send a thin ray across the eyes of the prisoners trying to get to sleep inside, watched by the guard, keeping him awake as he watches the empty space below...

V. *The Great Mystery*

"The great mystery is change. It's the movement from one moment to the next, the relativity of truth, the illusion of total obsession. It is the peculiar logic of human motivation, the immersion in a self whose boundaries are like scabs to be picked; sensitive scabs, painful to the touch, getting bumped, starting slowly to heal."

James Casebere, from "Three Stories", taken from the catalogue, *Model Culture*, published by The Friends of Photography, San Francisco

In James Casebere's recent photographs, the very process of vision is put into crisis, in the sense that the viewer is constantly asked to go beyond her first impression of these images. In particular, there are two ways in which the artist makes us question the "validity" of what we are seeing: by varying the view or angle between photographs of similar subjects, or by playing on the spectator's reading of an image, based on his/her distance from the piece.

In the first instance, we have works like *Single Tunnel with Bright Hole* and *Single Tunnel with Dark Hole*. In the former, one notes that the light coming through the hole on the left is incommensurate with the light coming through the end of the tunnel. The second work bears this out, as the only source of light comes from the unseen entrance/exit. Seeing the two works together, of course, makes us conscious of the difference between them, conscious of the artist's choice in constructing these images.

Two other paired works are even more direct in their insistence that we recognize the process that determined the final image:

Two Tunnels from Left (Vertical)
Two Tunnels from Right (Vertical)
Two Tunnels from Left (Horizontal)
Two Tunnels from Right (Horizontal)

In each case, the model which serves as the subject is the same. In the first pair, the images are framed vertically, in the second horizontally. Other less obvious differences are evident.

All of these are due to Casebere's changing his camera angle and distance. Our first impression is to see these images as identical. Our second is to see that a light source is absent, another is visible in one of the tunnels, etc. Once again, we accentuate the difference, measure our distance from the walls, in short, we note how our position as a spectator has changed. The cognizance of this fact not only makes us much more aware of Casebere's "game" (the space that seems real but is in fact a fiction) but of our place in it, i.e. as players.

Single Tunnel (with Bright Hole), 1992
Cibachrome; 102 x 76 cm

VI. So Close So Far Away

In the process outlined above, the spectator gradually becomes aware of how she must actively disentangle one photograph, one view from another.

In other photographs, Casebere uses another strategy to engender a second look on the part of the spectators. In this case, we do not notice the similarity between individual shots, we remark upon the difference between the long and the close-up view. In short, what seems like an image of a real, verifiable space from a distance, seems like a constructed, imaginary view once we examine it in detail. The scale of the illusion is measured by the distance between the spectator and the image.

Tall Stack of Beds, 1997
Cibachrome; 305 x 244 cm

From a distance... in *Asylum*, we see an ascetic monk's cell. We can't tell whether the window is real or a reflection of the light from somewhere else... In *Tall Stack of Beds*, these abandoned objects seem to be covered with dust or mold... In *Tunnels*, a part of the ceiling has broken away, with plaster left scattered over the floor... the details, the descriptions are endless. Each time, an empty space, often defined by its light source or an architectural detail.

Up close... the space of *Asylum* seems to disintegrate in front of our eyes... the beds in *Tall Stack* seem like ephemera, which could disintegrate to the touch... *Flooded Hallway* looks more like a painting than a photograph... the whole status of "photography", of the "model", is called into question... in *Hospital*, the beds seem unreal, like illusory objects glimpsed through a break in the fog. And so on.

Always this disjunction between what we see and what we think we see. Between what we know of Casebere's practice and the evidence in front of us. Perhaps, after all, it is the "movement from one moment to the next" that counts. It is only through activating the space of the spectator that the space of the photograph begins to take shape.

Where the Air Goes

*James Casebere in conversation
with Donna Lynas*

Donna Lynas In the past, critics have made much of the influence of Michel Foucault's *Discipline and Punish* on your work. In retrospect, how much of an influence do you think the book really was? Did the work come directly from issues discussed by Foucault?

James Casebere No. I think it was more of an influence on how people respond to the work. I read Foucault many years ago. I had read *Discipline and Punish* in Graduate School, or shortly after it. Ten or twelve years later when I began working with prisons, I liked to believe that I was making work about reality, not about prison as a metaphor for the social world. One of the problems I had with that notion was that I saw myself and Michel Foucault living a life of relative privilege. I looked at his use of the prison as a metaphor as somewhat paranoid. It's a complicated issue. I can't say that Foucault was entirely wrong but it is a question of emphasis, and at the time I believed that part of my fascination with prisons was about the much more horrible reality where, in America, a higher percentage of prisoners from poor ethnic minorities were locked up, hidden away, and forgotten. In the 1980s we had this great prison boom, and so being white and of a middle-class background, with the freedom to spend my life making art, it seemed presumptuous for me to complain about living in an environment of total surveillance. Race and class were still much more the issue.

DL The images aren't literally depictions of prisons are they? They're clean, beautiful spaces, somewhere you might actually choose to go.

JC They're not real spaces. They're not cold, damp or filled with debris. They are about the origins of the prison in the Quaker-inspired Prison Reform movement of the late 18th and early 19th Century. They sought to bring the values of solitude and redemption to punishment – taking it out of the realms of public spectacle, and away from humiliation, torture, dismemberment, and execution. Incarceration was linked to the ideal of reform, solitary confinement to the positive value of solitude. This system too, however, was a failure from the start. Trying to impose Northern European Quaker values on Southern European prisoners (Italian immigrants who were used to being crowded into apartments with their extended families) by forcing them into isolation and by restricting their contact with the outside world to Quaker ministers, simply drove many prisoners mad. Anyway, I was trying to address these kinds of issues – to draw attention to the difference between forced isolation and voluntary solitude, to evoke that tension.

DL To me a work like *Asylum* (1994) seems to be offering this solitude and redemption you talk about, a spirituality. How do you feel about the spiritual side to your work?

JC I'm interested in it and I guess it is there, especially in the earlier prison interiors, a divine light. It's difficult for me to talk about, except from the standpoint of history.

DL It seems like you are trying to create 'space', perhaps for yourself. When you are making the models in your studio you must become absorbed by the act of making, and you must enter your own kind of time or 'space'. How important has it been for you to become absorbed by the making process?

JC Well, I think it is important and I think I have a certain ambivalence about it. On the one hand it is important to me as an experience, the process is important because it's about taking time, creating a space of solitude in its making. I'm trying to reflect an experience I desire as well as resent. I look at the solitary nature of that activity with affection, but I also look at the labour as at times limiting, and so try to build those sensations into some of the work. I think that's where the ambivalence is – I love this space but God, I wanna get the hell out of here as soon as I can. So I'm not quite sure what it is, fear or elation, claustrophobia or enlightenment.

DL Do you have some weird Protestant work ethic where you feel you have to put a lot of hours into a piece?

JC In order for it to be significant, or successful, or worthy?

DL Yes, I mean there can be this belief that you have to spend a long time creating something to make it valid.

JC Yes, I think that's true. That's something I've felt or believed, unconsciously, and maybe part of the unconscious of this work is a desire to reject that.

DL Do you still make the models yourself, even though you have an assistant to help you?

JC Well I do less and less. In a way, the content is less a reflection of my current experience than previous experience. So the reality now is I have people in my studio all the time and what solitude I get, I get elsewhere.

DL I think the new work reflects that. The earlier works seemed to reach some kind of cool, unearthly beauty. The new works are much warmer.

JC Part of that has to do with using colour. When I started making the first prison images I starting shooting them using colour film, printing colour prints. Because I was taking so much information out of the photograph, and leaving nothing but this empty rectangle, I wanted to add another level, another sensation. The texture was there but I wanted to add colour, gradually, in different ways. So, *Converging Hallways* (1997) was an all-white set but I manipulated coloured light into the space to give it more warmth. I was trying to simulate the colour of daylight. It's a warmer print and there is a larger range of colour. Then I began adding colour to the plaster, so in the newer works I mixed yellow, red, black pigment while building the model. In the newest image, *Flooded Hallway* (1998), I introduced water into the image. I was trying to add things like mould and water stains.

DL Why do you think you have introduced these elements now?

JC I don't know.

DL Is the work going to be increasingly colourful?

JC Probably. I'm inching my way towards more colour in some of the 20 x 24 inch Polaroids I shot recently. I guess these images are less about isolation, they're beginning to have a different kind of content.

DL Why the water? Is it a visual device, to play with the reflections, or is there a metaphorical reason for using it?

JC Maybe there can be a metaphorical interpretation without me telling you what the metaphorical reason is. (Silence). It's always easier to talk about the social than the psychological content, about what it means to me personally. I suppose the works are getting a little bit more universal and less specific as time has gone on and some of the empty rooms are difficult to locate. Much earlier on I was dealing with American icons and then shifted into this more generic European architectural imagery, then more broadly, ancient architectural imagery. A lot of these rooms are circulation spaces, corridors, tunnels, hallways, and they refer sometimes to prisons. The newest work is partly triggered by some images I saw of abandoned subway stations in Berlin, as well as bunkers and sewers. Water has been something I have been trying to use for a little while. It's about adding colour again, it's a different texture, it adds another element, another level of illusion. I'm trying to create a certain ambiguity, first about the scale and then about whether it's real or not. With the water hopefully it's pushing the illusion in another direction. Does it look more real than the ones without water?

DL Yes, I was thinking you had been depicting stereotypes and now you have expanded this element of realism. *Flooded Hallway* looks remarkably realistic.

JC Part of it is discovering, in the process, what some of these materials can do and what kind of balance I can get, how I can build the reflection. The lighting in that piece is a little more complicated than usual. If you look at virtually all the other photographs in the exhibition (except *Sing Sing* which is earlier) there is only one light source and I don't think there are any shadows cast on the objects. They are all lit from above or the side. At most there is a grill in front of a window but there are no other shadows cast from outside the image. With this work the light reflected on the water breaks up in a pattern softening the architecture. The light reduces the depth, softening the perspective. The shape of the shadow breaks up the simple geometry, emphasising the surface of the image, reducing the definition of the represented space.

DL These works seem more organic, especially *Tunnels*. It doesn't look as though you are dealing with architecture as much, they remind me of intestines.

JC I meant for them to feel more intestinal, not just underground. (Pause).

DL It's difficult to stand back from work you've just made, to analyse it objectively.

JC You're right. I think I was conscious of what I was doing. The roundness of the two tunnel photos and even the water in *Flooded Hallway* suddenly makes it more organic.

(Long pause). I was having dinner the other night with Willie Doherty and we were talking about the content of his work and somebody had apparently told him that they thought his work was about annihilation. He said he was trying to deal with this, but as a child growing up in Northern Ireland he had had these recurring dreams about helicopters coming down, dropping bombs, the end of the street exploding and the fear of being blown up. So, your asking about the water as a metaphor in my work reminds me of that. I'm not sure what it means, but I have had recurring dreams of flooded spaces. They tend to be large bathrooms, huge bathrooms, with room after room of urinals and toilets and they're all overflowing, and you walk into the room and your feet are in puddles of excrement, essentially. This was not directly the image I sought to make, but vestiges have, perphaps crept up in a few recent works.

DL The most obvious being *Toilets* (1995).

JC Yes. It's about privacy and the absence of it, about social space. But maybe it's a sign that my attraction to these sewers is related to this dream, and maybe with *Flooded Hallway* the dream was at the back of my mind and I was thinking, what is this flood and why am I in it?

DL Is there no escape, in the dream? Do you get away?

JC It's not really a fear of being closed off. You're just kind of looking for the toilet that isn't backed up, that's clean, and you can't find it because they're all overflowing. It's like when you go into a gas-station toilet. You open the door and there is this filthy water pouring out or backing up out of the toilet and you're supposed to use this thing. It's like that in the dream, only there is room after room of the same thing happening. I don't know why I keep having these dreams. I'm sure there's a good Freudian explanation. Maybe it is somehow related to austerity, and the emphasis on the work ethic that we talked about.

DL The reason I asked about escape is because I keep having these dreams of being in a space, not unlike *Flooded Hallway*, where the water is slowly rising until it submerges me and I can't escape.

JC Is that how you read that piece?

DL Well, I suppose not. To me the water in that work is almost a way out. The water looks still, stagnated even. But there is an implication that there must be a way in and a way out, an escape route.

JC That's interesting. Well, it does coincide with the fact that there are intersecting corridors and open doors. It's about movement rather than being trapped, about the circulation of water as well as air.

DL They are spaces where you could be alive, you could survive because there is an atmosphere.

JC On the one hand, I could tell you very specifically what I was thinking about when I started making photographs about the various architectural types, within the architectural history of the prison. But with these new works I'm not starting out with a purpose like that, I'm not trying to illustrate anything, and maybe I'm at one of those points where I discover the meaning of the work through making it, well you always do after the event anyway.

DL So it's intuitive.

JC Yes. On a conscious level a lot of these images are derived from a trip I made to Berlin where I was interested in things like Potsdamer Platz. I was interested in the history of Berlin in relation to the underground and the past. The Berlin wall meant that subways between east and west were no longer moving so stations were defunct, this was in the 1960s. But earlier, in the 1940s, there were all these other interesting spaces underground, like Hitler's bunker, and I was looking at photographs of these thinking it was like Los Angeles or something. You know, LA is a happy town, it's Hollywood, everyone is smiling, thinking of their next project. You never see the underbelly. Mike Kelly drew attention to the underbelly of LA, the side that nobody ever looked at, the child abuse, the psychological, the scatological. So when I went to Berlin I had the same sensation. Here was a city thinking about the future but I was interested in what was underneath it, which is essentially the past, the buried past, the forgotten.

DL The forgotten social arenas as well as the history?

JC Yes.

DL I was wondering if, when you were making these empty social spaces, like schools and hospitals, were you saying these places were a good idea or a bad idea? Le Corbusier said that we needed to live socially to survive, both physically and psychologically, he based his ideas on architecture on social living.

JC I don't think I was trying to say it was good or bad. It's nothing to do with making a judgement about social spaces, it's more trying to create an atmosphere, like mourning or sadness, using the light from the side to suggest a

sense of loss. In a way, everything is social, the quantity of beds, trying to refer to some collective tragedy rather than personal, to create the mood or atmosphere of that. I wanted to get away from the single bed in the single room. I spent some time in this abandoned prison once. I shot a lot of photographs when I was there and I started putting them together. I tried to create through the photographs this virtual collection, a grid of pictures about circulation, the circulation of air in these thirty acres. I think that part of this initially was to do with the fact that all of these modern institutions were based on the discovery that germs are airborne and that we need clean water to prevent the spread of disease. Spending a lot of time in this building I became interested in creating this sensation to try to find out where the air goes, which could also be a kind of escape route, you know, the prisoner always escapes through the air vent. So I tried to follow the air, to draw less attention to the enclosure and primarily to this movement. At this point I don't know why. (Laughs).

The images that acocompany this essay are from the artist's exhibition at the Museum of Modern Art, Oxford, in 1999

James Casebere

1953	Nace en Lansing, Michigan
	Vive en Nova York

Formación

1979	California Institute of Arts, MFA
1977	Whitney Independent Study Program
1976	Minneapolis College of Art and Design, BFA
1971-73	Michigan State University

Bolsas

1995	John Simon Guggenheim Memorial Foundation
1994	New York Foundation for the Arts Fellowship
1990	NEA, Visual Arts Fellowship
1989	New York Foundation for the Arts Fellowship
1986	NEA, Visual Arts Fellowship
1985	New York Foundation for the Arts Fellowship
1982	NEA, Visual Arts Fellowship
1982	New York State Council on the Arts: Visual Artists Sponsored Project Grant

Selección de exposicións individuais

1999	*Asylum*, Centro Galego de Arte Contemporánea, Santiago de Compostela
	James Casebere: New Photographs, Museum of Modern Art, Oxford
	Sean Kelly Gallery, Nova York
1998	Hosfelt Gallery, San Francisco
	Gallerie Tannit, Múnic
	Sean Kelly Gallery, Nova York
1997	Jean Bernier, Atenas
	Angel Ho, Nova York
	Galerie Windows, Bruxelas
	Site Gallery, Sheffield
	Williams College Museum of Art, Williamstown
1996-97	The Ansel Adams Center for Photography, San Francisco
1996	Galleria Galliani, Xénova
	Lisson Gallery, Londres
	SL Simpson Gallery, Toronto
1995	Michael Klein Gallery, Nova York
1994	Galleria Galliani, Xénova
	Richard Levy Gallery, Alburquerque
1993	Michael Klein, Inc., Nova York
1991	Birmingham Museum of Art, Birmingham, Alabama
	Gallerij Bruges La Morte, Bruxes
	James Hockey Gallery, WSCAD, Farnham
	Michael Klein, Inc., Nova York
	Kunststichting Kanaal, Kortrijk
	Photographic Resource Center, Boston University, Boston
	The University of Iowa Museum of Art, Iowa City

1990	Galleria Facsimilie, Milán
	Museum of Photographic Arts, San Diego
	Urbi Et Orbi, París
	Vrej Baghoomian Gallery, Nova York
1989	Galerie De Lege Ruimte, Bruxes
	Neuberger Museum, SUNY Purchase, Nova York
	The University of South Florida Art Museum, Tampa
1988	Kuhlenschmidt/Simon Gallery, Los Ángeles
	Pennsylvania Station, Nova York
1987	303 Gallery, Nova York
	Michael Klein, Inc., Nova York
	Kuhlenschmidt/Simon Gallery, Los Ángeles
1985	Kuhlenschmidt/Simon Gallery, Los Ángeles
	Minneapolis College of Art and Design, Minneapolis
1984	Diane Brown Gallery, Nova York
	Sonnabend Gallery, Nova York
1983	St. George Ferry Terminal, Staten Island
1982	CEPA Gallery, Búfalo
	Sonnabend Gallery, Nova York
1981	Franklin Furnace, Nova York
1979	Artists Space, Nova York

Selección de exposicións colectivas

1999	*Blind Spot*, Robert Mann Gallery, Nova York
	Full exposure: Contemporary Photography, New Jersey Center for the Visual Arts, Nova Jersey
	Nature of Light, Contemporaneo Art Gallery, Mestre, Venecia
1998	*Photo Op*, Geoffrey Young Gallery, Great Barrington
	Claustrophobia, Ikon Gallery, Birmingham
	Still, Laurent Delaye Gallery, Londres
	A Sense of Place, Angles Gallery, Santa Mónica
	Then and Now, Lisson Gallery, Londres
	Bathroom, Morris-Healy Gallery, Nova York
	Internality Externality, Galerie Lelong, Nova York
	Group Show, Jay Gorney, Nova York,
	Utz, Lennon, Weinber, Inc., Nova York
	PhotoImage: Printmaking 60s to 90s, The Museum of Fine Arts, Boston
	Architectures en Jeux, Frac Centre, Orleans
	Blade Runner, Caren Golden Fine Art, Nova York
1997	*Selections From the Permanent Collection*, The Whitney Museum of American Art, Nova York
	Within These Walls, Kettels Yard, Cambridge
	Portraits of Interiors, Patricia Fauve Gallery, Los Ángeles; Galerie d'Art Contemporain, Xenebra

Making it Real, Independent Curators Inc., The Aldrich Museum, Farfield; The Bayly Art Museum, University of Virginia, Charlotteville; Massachusetts College of Art, Boston

Architecture as Metaphor, Museum of Modern Art, Nova York

Elsewhere, Carnegie Museum of Art, Pittsburgh

A Summer Show, Marian Goodman Gallery, Nova York

Photographs & Prints, Judy Ann Goldman Fine Art, Boston

Luminous Image, Alternative Museum, Nova York

1996   *This is a Set Up: Fab Photo/Fiction*, Bowling Green State University

Galerie H S Steinek, Viena

New Fall Faculty, Carpenter Center, Harvard University, Boston

Selections from the Niseson Collection LACMA, Los Ángeles

After Dark: Nocturnal Images, Barbara Mathes Gallery, Nova York

Embedded Metaphor, Independent Curators Inc., John and Mabel Ringling Museum of Art, Sarasota, Florida; Western Gallery, Western Washington University, Bellingham, Washington; Bowdoin College, Museum of Art, Brunswick; Contemporary Art Center of Virginia, Virginia Beach; Ezra and Cecile Zilkha Gallery, Wesleyan University, Middletown

The House Transformed, Barbara Mathes Gallery, Nova York

McDowell Exhibition, Hood Museum of Art, Dartmouth College, Hanover; Art Gallery, University of New Hampshire

The Illuminated Image, Alternative Museum, Nova York

1995   *4 Photographers*, Rena Bransten Gallery, San Francisco

Campo, Venice Biennale, Venecia; Fundazione Sandretto Re Rebaudengo per l'Arte, Turín; Konstmuseum, Malmo

Prison Sentences: The Prison as Site/The Prison as Subject, Eastern Pennsylvania State Penitentiary, Filadelfia

Artistes/Architects, Institute d'Art Contemporain, Villeurbanne; Kunstverein Munchen, Múnic, Centro Cultural de Belém, Lisboa; Kunsthalle, Viena

1994   *Building Dwelling Thinking: A Group Exhibition*, Lowinsky Gallery, Nova York

Forecast: Shifts in Direction, Museum of New Mexico, Santa Fe

House Rules, Wexner Center for the Visual Arts, Columbus

Imagini d'Affezione, Castello Monumentali di Lerici

Stilled Pictures–Still Life, Fine Arts Center Galleries, University of Rhode Island, Kingston

The Subject is Architecture, University of New Mexico Art Museum, Alburquerque

1993   *American Made: The New Still-Life*, Isetan Museum of Art, Hokkaido; Obihito Museum of Art, Xapón; Royal College of Art, Londres

Collecting for the 21st Century: Recent Acquisitions and Promised Gifts, The Jewish Museum, Nova York

Fabricated Realities, Museum of Fine Arts, Houston

From New York: Recent Thinking in Contemporary Photography, Donna Beam Fine Art Gallery, University of Nevada, Las Vegas

Kurswechsel, Michael Klein Inc., Transart Exhibitions, Colonia

Sampling the Permanent Collection, The Museum of Fine Arts, Boston

1992 *Interpreting the American Dream*, Galerie Eugen Lendl, Graz; Galerij James van Damme, Amberes

More Than One Photography, Museum of Modern Art, Nova York

Une seconde pensée du paysage, Domaine de Kerguehennec, Centre d'Art Contemporaine, Locmine

1991 *1986-1991: 5 Jaar De lege Ruimte*, Galerie de Lege Ruimte, Bruxes

Constructing Images: Synapse Between Photography and Sculpture, Lieberman & Saul, Nova York; Tampa Museum of Art, Tampa; Center for Creative Photography, Tucson; San José Museum of Art, San José

Pleasures and Terrors of Domestic Comfort, Museum of Modern Art, Nova York

1990 *Anninovanta*, Galleria Comunale d'Arte Moderna, Boloña

Abstraction in Contemporary Photography, Emerson Gallery, Hamilton College, Washington; Anderson Gallery, Virginia Commonwealth University, Richmond

Das Konstruierte Bild. Arrangiert und Inszeniert, Badische Kunstverein,

Karlsruhe

The Liberated Image: Fabricated Photography Since 1970, Tampa Museum of Art, Tampa

1989 *Altered States*, The Harcus Gallery, Boston

Beyond Photography, Krygier Landau Contemporary Art, Santa Mónica

New York Artists, Linda Farris Gallery, Seattle

Das Konstruierte Bild. Fotographie–Arrangiert und Inzeniert, Kunstverein Munchen, Múnic; Kunsthalle Nurnberg, Nurnberg; Forum Bottcherstrasse, Bremen; Badischer Kunstverein, Karlsruhe

Decisive Monuments, Ehlers Caudill Gallery, Chicago

Encore II: Celebrating Fifty Years,The Contemporary Arts Center, Cincinnati

Fauxtography, Art Center College of Art and Design, Pasadena

The Mediated Imagination, Visual Arts Gallery, State University of New York, Purchase, Nova York

Parallel Views, ARTI, Ámsterdan

The Photography of Invention–American Pictures of the 1980s, National Museum of American Art, Washington; Walker Art Center, Minneapolis

Suburban Home Life: Plotting the American Dream, The Whitney Museum of American Art, Nova York; The Whitney Museum of American Art, Stamford

1988 *Complexity and Contradiction*, Scott Hanson Gallery, Nova York

Fabrication–Staged, Altered and Appropriated Photographs, Sert Gallery, Carpenter Center for the Visual Arts, Harvard University, Boston

James Casebere, Stephen Prina, Christopher Wool, Robin Lockett Gallery, Chicago

Made In Camera, VAVD Editions, Estocolmo

Plane Space: Sculptural Form and Photographic Dimensions, The Photographers' Gallery, Londres

Playing For Real, Toys and Talismans, Southampton City Art Gallery, Southampton; Ikon Gallery, Birmingham; Chapter Arts, Cardiff

1987   *3 Americans, 3 Austrians*, Fotogalerie Wien, Viena

This is Not a Photograph: Twenty Years of Large-Scale Photography, 1966-1986, The John and Mable Ringling Museum of Art, Sarasota; Akron Art Museum, Akron; The Chrysler Museum, Norfolk

Arrangements for the Camera: A View of Contemporary Photography, The Baltimore Museum of Art, Baltimore

Bilder 30, Fotogalerie Wien, Viena

CalArts: Skeptical Belief(s), The Renaissance Society, University of Chicago; Newport Harbor Museum, Newport Beach

Cross-References: Sculpture into Photography, Walker Art Center, Minneapolis

Kunst Mit Photographie, Galerie Ralph Wernicke, Stuttgart

Photography and Art: Interactions Since 1946, Los Angeles County Museum of Art, Los Ángeles; The Fort Lauderdale Museum of Art, Fort Laurderdale; The Queens Museum of Art, Nova York

The Pride of Symmetry, Galerie Ralph Wernicke, Stuttgart

Small Wonders, Barry Whistler Gallery, Dallas

1986   *The Fairy Tale: Politics, Desire, and Everyday Life*, Artists Space, Nova York

Foto Cliche, Victoria Miro Gallery, Londres; Orchard Gallery, Derry

James Casebere, Clegg & Guttman, Ken Lum, Galerie Bismarckstrasse, Colonia

Milano Triennale, Milán

Photographic Fictions, The Whitney Museum of American Art, Stamford

Photographs, 303 Gallery, Nova York

Picture Perfect, Kuhlenschmidt/ Simon, Los Ángeles

The Real Big Picture, The Queens Museum of Art, Nova York

Signs of the Real, White Columns, Nova York

Sonsbeek 86: International Sculpture Exhibition, Arnhem

TV Generation, LACE, Los Ángeles

1985   *Biennial Exhibition*, The Whitney Museum of American Art, Nova York

James Casebere, Jeff Koons, Larry Johnson, 303 Gallery, Nova York

Rounding Up the Usual Suspects, Fay Gold Gallery, Atlanta

1984   *A Decade of New Art*, Artists Space, Nova York

The Success of Failure, Diane Brown Gallery, Nova York

1983   *Art Park*, Lewiston, Nova York

Artists Use Photography, American Graffiti Gallery, Ámsterdan; Marianne Deson Gallery, Chicago

Images Fabriquées, Centre Georges Pompidou, París; Museum voor Aktuel Kunst, Hasselt

In Plato's Cave, Marlborough Gallery, Nova York

1982 *The Fabricated Image*, Delahanty Gallery, Dallas

Tableaux: Nine Contemporary Sculptures, The Contemporary Arts Center, Cincinnati

1981 *Eight Contemporary Photographers*, University of South Florida Art Museum, Tampa

Erweiterete Fotografie, Wiener International Biennale, Viena

The Exhibition, California Institute of the Arts, Valencia

Photo, Metro Pictures, Nova York

1980 *Group Show*, Annina Nosei Gallery, Nova York

The Real Estate Show, Co-Lab, Nova York

The Staged Shot, Delahanty Gallery, Dallas

1979 *Fabricated to be Photographed*, San Francisco Museum of Modern Art, San Francisco; The University of New Mexico, Alburquerque; Albright Knox Art Gallery, Búfalo; Newport Harbor Art Museum, Newport Beach

Southern California Invitational/

Photo, University of Southern California, Los Ángeles

Selección bibliográfica

1999

Asylum, Centro Galego de Arte Contemporánea, Santiago de Compostela (catálogo)

Billingham, John: "Images to Stimulate as Well as Disturb", *The Oxford Times Weekend*, Oxford, 29 de xaneiro

Buxton, Pamela: "James Casebere" *Building Design*, Londres, 22 de xaneiro

Frankle, David: "James Casebere: New Photographs", *Artforum*, primavera

Jenkins, Steven: "Una conversación con James Casebere", *Arte y Parte*, Madrid, febreiro-marzo

Leach, Ian: "Exhibition Review: Images in Action", *Daily Information*, 26 de xaneiro

McEwen, John: " Unquenchable, Even with a Camera", *The Daily Telegraph*, Londres

_____ "Dates: Art", *Blueprint*, febreiro

_____ "Listing", *World of Interiors*, marzo

_____ "Architecture", *Journal of Photography and Video*, pp. 28-29

_____ "James Casebere", *The Architect's Journal*, Londres, 18 de febreiro

_____ "See What Makes James Click", *Oxford Courier*, 15 de xaneiro

_____ "James Casebere", *Professional Photographer*, 30 de xaneiro

1998

Ackley, Clifford: "Photo Image: Printmaking 60s to 90s", MFA, Boston, p. 52

Hudgins, Andrew: "Babylon in a Jar", portada

"James Casebere": *Blind Spot*, nº 12

Craig Houser, Ellen K. Levy: "James Casebere", *Contemporary Visual Arts*, nº 19, p. 70